UNE BALLE DE LAINE

UNE BALLE DE LAINE

Sélection
READER'S DIGEST

Dorling Kindersley Limited est une compagnie
de Penguin Random House.

L'édition originale de cet ouvrage est parue chez
Dorling Kindersley Limited sous le titre *One Ball of Wool.*

Conception artistique: Charlotte Johnson
Responsable d'édition: Kathryn Meeker
Photographe: Ruth Jenkinson
Direction artistique: Jane Ewart
Direction de la rédaction: Penny Smith
Responsable artistique: Marianne Markham
Direction artistique: Jane Bull
Direction éditoriale: Mary Ling

Cette édition est publiée par **Sélection du Reader's Digest**,
marque exploitée sous licence par :
LES PUBLICATIONS MODUS VIVENDI INC.
55, rue Jean-Talon Ouest
Montréal (Québec) H2R 2W8
CANADA

www.groupemodus.com

Éditeur: Marc G. Alain
Éditrice déléguée: Agnès Saint-Laurent
Traductrice: Marie-Céline Georg
Correctrice: Odile Raoul

ISBN: 978-2-92438-248-6

Dépôt légal — Bibliothèque et Archives nationales du Québec, 2016
Dépôt légal — Bibliothèque et Archives Canada, 2016

Nous reconnaissons l'aide financière du gouvernement du Canada par
l'entremise du Fonds du livre du Canada pour nos activités d'édition.

Gouvernement du Québec — Programme de crédit d'impôt pour
l'édition de livres — Gestion SODEC

Imprimé en Chine

UN MONDE D'IDÉES
www.dk.com

TABLE DES MATIÈRES

MODÈLES

TECHNIQUES

UNE SEULE BALLE !

La révolution des aiguilles est toujours en marche. Pour la satisfaction de réaliser son propre ouvrage, ou pour se relaxer en tricotant la laine si douce à laquelle vous n'avez pas pu résister dans la boutique... Quelles que soient vos raisons, vous trouverez sûrement une place spéciale aux modèles de ce livre dans votre vie. Ils sont modernes, souvent charmants, et ont un point commun : chacun d'eux ne nécessite qu'une seule balle de laine. Vous pouvez les adapter à votre guise : changez de couleur, ajoutez un accessoire...

Alors, prenez une bonne tasse de thé, mettez votre musique favorite, monopolisez le coin le plus confortable de la maison et profitez-en ! Vous le méritez bien.

Bonnet à pompon Page 26

LAISSEZ PARLER VOTRE CRÉATIVITÉ !

ON TROUVE DE LA LAINE sous toutes les formes, depuis les petites pelotes de 50 g jusqu'aux énormes balles de 500 g (ou plus). Et pourquoi se cantonner aux fibres filées ? Nous avons utilisé des tubes en caoutchouc et du fil métallique. Pratiquement n'importe quel matériau flexible se pliera à la fantaisie de vos aiguilles et de vos crochets. Testez et amusez-vous !

La laine multicolore change de couleur au fur et à mesure, pour vous donner un résultat très coloré avec une seule balle de laine.

Sacoche au look industriel Page 18

Jouet pour minou Page 64

L'épaisseur (ou poids) de la laine est à prendre en compte. Si vous utilisez une autre laine que celle du modèle, choisissez-en une dont l'épaisseur est similaire et adaptez la taille de vos aiguilles ou de votre crochet pour obtenir le bon échantillon.

Bracelet cuivré Page 28

Écharpe infinie Page 14

MODÈLES

Toutes les abréviations et points spécifiques sont expliqués dans la partie TECHNIQUE, p. 74.

ASTUCE

Lorsque vous coudrez la bordure inférieure, laissez suffisamment d'aisance pour que la tuque s'adapte à votre tête. Si vous serrez trop la couture, la tuque risque d'être trop étroite.

TUQUE FLUO

ILLUMINEZ VOS JOURNÉES – ou vos nuits – avec cette simple tuque en côtes. Sa forme bien ajustée épouse parfaitement la tête. Si vous n'aimez pas le fluo, choisissez n'importe quelle autre laine de la même épaisseur : il vous suffit de vérifier que la balle de laine est assez longue.

FOURNITURES

Difficulté
Niveau débutant

Taille
Femme adulte

Laine
Une balle de Stylecraft Double Knit Special, 100 g – 295 m ; 100 % acrylique. Nous avons utilisé le coloris 1257, Fiesta.

Aiguilles
Aiguilles 4 mm (US 6)

Accessoires
Aiguille à laine à bout rond

Échantillon
22 m x 30 rangs = 10 cm en motif de côtes, aiguilles 4 mm.

Points spécifiques
Surjet double : gl1 end, 2 m ens end, rabattre la m glissée sur la m précédente. (voir p. 81 et 83)

RÉALISATION

Montez 104 m en utilisant la méthode à 2 aiguilles.
Rg 1 : [2 m end, 2 m env]x26.
Rgs 2-6 : comme le rg 1.
Rg 7 : tout en m env.
Rg 8 : [2 m env, 2 m end]x26.
Rgs 9-62 : comme le rg 8.
Rg 63 : 2 m env [(2 m end, 2 m env)x4, 2 m end, 2 m ens env]x5, 2 m end. (99 m)
Rg 64 : 2 m env [2 m ens env, 1 m env, (2 m end, 2 m env)x4]x5, 2 m end. (94 m)
Rg 65 : 2 m env [(2 m end, 2 m env)x4, 2 m ens end]x5, 2 m end. (89 m)
Rg 66 : 2 m env [2 m ens end, 1 m end, (2 m env, 2 m end)x3, 2 m env]x5, 2 m end. (84 m)
Rg 67 : 2 m env [(2 m end, 2 m env)x3, 2 m end, 2 m ens env]x5, 2 m end. (79 m)
Rg 68 : 2 m env [2 m ens env, 1 m env, (2 m end, 2 m env)x3]x5, 2 m end. (74 m)
Rg 69 : 2 m env [(2 m end, 2 m env)x3, 2 m ens end]x5, 2 m end. (69 m)
Rg 70 : 2 m env [2 m ens end, 1 m end, (2 m env, 2 m end)x2, 2 m env]x5, 2 m end. (64 m)
Rg 71 : 2 m env [(2 m end, 2 m env)x2, 2 m end, 2 m ens env]x5, 2 m end. (59 m)
Rg 72 : 2 m env [2 m ens env, 1 m env, (2 m end, 2 m env)x2]x5, 2 m end. (54 m)
Rg 73 : 2 m env [(2 m end, 2 m env)x2, 2 m ens end]x5, 2 m end. (49 m)
Rg 74 : 2 m env [2 m ens end, 1 m end, 2 m env, 2 m end, 2 m env]x5, 2 m end. (44 m)
Rg 75 : 2 m env [2 m end, 2 m env, 2 m end, 2 m ens env]x5, 2 m end. (39 m)
Rg 76 : 2 m env [2 m ens env, 1 m env, 2 m end, 2 m env]x5, 2 m end. (34 m)
Rg 77 : 2 m env [2 m end, 2 m env, 2 m ens end]x5, 2 m end. (29 m)
Rg 78 : 2 m env [2 m ens end, 1 m end, 2 m env]x5, 2 m end. (24 m)
Rg 79 : [1 surjet double]x8.

Finitions
Passez le fil à travers les huit mailles restantes et coupez-le en laissant une longueur suffisante pour coudre le côté de la tuque par un point de surjet bien net. Les six rangées du bas vont se retrousser naturellement vers l'intérieur. Il suffit de les fixer par un point de bâti assez lâche avec un reste de fil pour donner du volume à la bordure de la tuque.

ÉCHARPE INFINIE NID D'ABEILLE

CETTE ÉCHARPE EST RÉALISÉE en « trichant » pour former un ruban de Möbius : on crochète une longue écharpe à plat et on assemble les deux extrémités après l'avoir torsadée. La balle de laine recommandée vous permettra de réaliser trois écharpes. C'est une bonne chose, car, après l'avoir vue, tout le monde voudra la même que vous !

FOURNITURES

Difficulté
Niveau débutant

Taille
L'écharpe mesure environ 200 cm de circonférence.

Laine
Une balle de Drops Verdi, 350 g – 1 225 m ; 48 % acrylique, 20 % laine, 17 % polyester, 15 % mohair. Nous avons choisi le coloris 08 orange/jaune/brun.

Crochets
Crochet 7 mm
Crochet 8 mm

Accessoires
Anneau marqueur
Aiguille à laine à bout rond

Échantillon
L'échantillon n'est pas important pour ce projet, mais pour information 5 rgs x 5 « V » = 10 cm, crochet 7 mm.

Abréviations spéciales
Mca : maille coulée d'assemblage.
V : 1 br, 1 ml, 1 br dans la même maille.

RÉALISATION

Écharpe
Avec le crochet 8 mm, montez une chaînette de 26 ml assez lâches.
Rg 1 : avec le crochet 7 mm et en piquant dans le brin supérieur des m uniquement, passez 3 ml, 1 V dans la 4e ml à partir du crochet, *passez 1 ml, 1 V dans la ml suivante ; répétez à partir de * jusqu'aux 2 dernières ml, passez 1 ml, 1 br dans la dernière ml. Tournez. (11 V au total)
Rgs 2-101 : 2 ml (comptent pour 1 br), *1 V dans l'arceau du V ; répétez à partir de * jusqu'à la fin, 1 br dans la dernière ml. (11 V)
Ne coupez pas le fil. Placez un marqueur dans la boucle du crochet et retirez celui-ci.

Finitions
Posez l'écharpe à plat avec le rang 1 en haut (avec le fil de montage qui dépasse du côté gauche de l'ouvrage en haut, et la boucle avec l'anneau marqueur également à gauche, en bas). Rapprochez le dernier rang du rang 1 en tordant l'écharpe de manière à ce que l'anneau marqueur se retrouve du côté droit. Retirez le marqueur de la boucle et remplacez-le par le crochet 7 mm.
Rg 102 : 1 ml, 1 mc dans la 24e ml de la chaînette de base, *1 br dans l'arceau du V du dernier rg, 1 mca dans la ml à la base du V du rang 1, 1 br dans l'arceau du même V du dernier rg ; répétez à partir de * jusqu'à la fin. 1 mc dans la 1re ml de la chaînette de base. Arrêtez le fil et rentrez les fils qui dépassent.

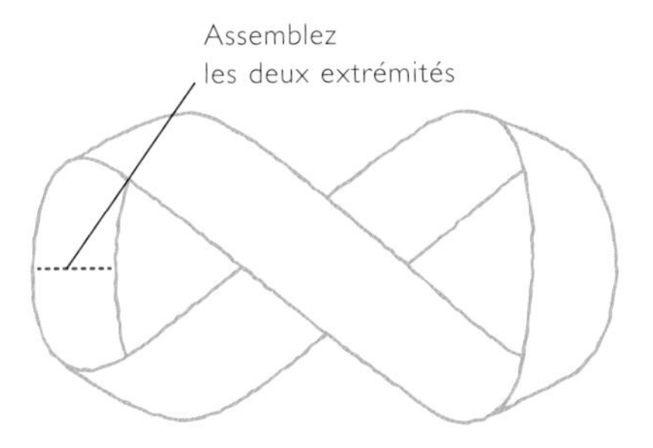

En tordant l'écharpe avant d'assembler ses deux extrémités, vous créez un ruban de Möbius, une boucle infinie.

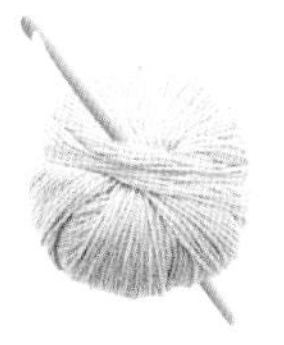

UN OS QUI A DU CHIEN

RÉALISÉ EN SOLIDE FIL 100 % coton, cet os supportera sans broncher les démonstrations d'affection de votre toutou et passera à la machine après une longue journée de mâchouillage. N'oubliez pas d'utiliser un rembourrage lavable à la machine également. L'absence de teinture vous évitera les déboires d'un tapis taché ou d'un chien aux babines barbouillées.

FOURNITURES

Difficulté
Niveau débutant

Taille
22 x 7cm

Laine
Une balle de James C Brett Craft Cotton, 100 g ; 100 % coton. Nous avons utilisé le coloris Écru.

Crochets
Crochet 4 mm

Accessoires
Rembourrage en polyester
Aiguille à laine à bout rond
Ruban (en option)

Échantillon
L'échantillon n'est pas important pour ce projet, mais crochetez assez serré pour que le rembourrage ne s'échappe pas entre les points.

RÉALISATION

On réalise séparément deux « branches » de l'os en les assemblant pour former un demi-os.

Première « branche »

Commencez par 6 ms dans un anneau magique. (6 m)
Tr 1 : 2 ms dans chaque m jusqu'à la fin. (12 m)
Tr 2-4 : 1 ms dans chaque m jusqu'à la fin. (12 m)
Coupez le fil et arrêtez-le.

Deuxième « branche »

Procédez comme pour la première branche, mais ne coupez pas le fil.

Assemblage des branches

Tr 1 : 1 ms dans chacune des 12 m de la 2e branche, puis sans couper le fil 1 ms dans les 12 m de la 1re branche. (24 m)
Tr 2 : (2 ms ens, 1 ms dans les 6 m suiv), répétez jusqu'à la fin. (21 m)
Tr 3 : (2 ms ens, 1 ms dans les 5 m suiv), répétez jusqu'à la fin. (18 m)
Tr 4 : (2 ms ens, 1 ms dans les 4 m suiv), répétez jusqu'à la fin. (15 m)
Trs 5-14 : 1 ms dans chaque m jusqu'à la fin. (15 m)
Arrêtez le fil et rembourrez fermement le demi-os.

Finitions

Réalisez un second demi-os identique. Avec l'aiguille à bout rond et un reste de fil, assemblez les deux parties pour former l'os entier. Rentrez et coupez les fils qui dépassent.

Si vous offrez cet os, attachez un ruban au centre pour cacher la couture. Mais n'oubliez pas d'enlever le ruban avant de le donner au chien, pour éviter tout risque d'étouffement !

SACOCHE AU LOOK INDUSTRIEL

CETTE FABULEUSE POCHETTE est réalisée en tube de caoutchouc, habituellement destiné à fabriquer des colliers. Vous pouvez utiliser n'importe quel tube de caoutchouc de 6 mm. Assurez-vous simplement que vous avez la longueur nécessaire (25 m). Une fois le tube coupé, s'il s'emmêle, ne le coupez pas, démêlez-le.

FOURNITURES

Difficulté
Niveau avancé

Taille
Env. 34 x 18 cm

Fil
Un rouleau de tube en caoutchouc Beadalon® 6 mm, 25 m. Nous avons utilisé le coloris noir.

Aiguilles
Aiguilles 12 mm (US 17)

Accessoires
Grande bassine résistante à la chaleur ou évier
Serviette
Gros livre épais (en option)
Fermeture à glissière 33 cm
Tissu de doublure 40 x 80 cm
Aiguille à coudre
Fil assorti à la doublure

Échantillon
Il n'y a pas d'échantillon ou de taille précise pour cette pochette. Vous devrez vous exercer pour vous habituer à tricoter le tube en caoutchouc.

RÉALISATION

Faites un nœud pas trop serré autour des deux aiguilles, puis utilisez la méthode tricotée (à l'anglaise) pour monter 26 mailles très lâches. Le tube n'est pas si facile à tricoter, assurez-vous que les mailles restent bien trop grandes pour les aiguilles.
Tricotez 7 rangs de jersey endroit, puis rabattez les mailles de manière à ce que les mailles rabattues soient visibles sur l'endroit de l'ouvrage. Notre modèle mesurait environ 70 cm de large et 19 cm de haut. Ne coupez pas le tube, vous en aurez besoin pour la couture.
Les mailles sont probablement très inégales, vous pouvez les régulariser une par une en tirant sur le tube. Une fois que l'ouvrage est aussi régulier que possible, pliez-le en deux et utilisez le reste de tube pour coudre les deux bords au point de surjet. Ensuite, écrasez la boucle et placez la couture au centre avant de coudre le fond de part et d'autre.
Assurez-vous que le nœud de démarrage et le nœud final sont aussi serrés que possible. À ce stade, la pochette est encore assez informe.

Remplissez une bassine d'eau très chaude sans vous brûler, puis plongez-y l'ouvrage et laissez-le se ramollir un peu. Ensuite, placez-le sur une serviette et pressez-le pour lui donner sa forme. Nous l'avons recouvert d'une autre serviette avant de placer un livre très lourd dessus pour fixer la forme.

Une fois que l'extérieur est tricoté, vous pouvez faire une doublure en tissu. Comme la doublure sera visible à travers les mailles, elle doit être à double face. Assemblez endroit contre endroit deux pièces de tissu ayant la même largeur que la pochette, mais le double de la hauteur. N'oubliez pas d'ajouter 1 cm pour la couture sur tous les côtés. Laissez une ouverture de 3 cm pour retourner l'ouvrage. Terminez la couture. Ensuite, repliez la doublure en deux vers l'intérieur comme une chaussette et cousez une fermeture à glissière le long de l'ouverture. Fixez la doublure dans la pochette en la cousant le long de la bordure.

ASTUCE

Vous pouvez coudre un morceau de feutrine brune, rose ou noire en forme d'amande à l'intérieur de chaque pointe pour que celle-ci ressemble plus à une véritable oreille. Vous pouvez aussi réaliser une figure complète.

BONNET POUR BÉBÉ

SIMPLE ET RAPIDE À TRICOTER, cet adorable bonnet est réalisé d'une seule pièce, avec une couture pour lui donner sa forme. Les pointes sont resserrées pour former des oreilles. Vous pouvez nouer des rubans de couleur contrastée autour des oreilles, ou même passer un ruban dans la rangée de jours après la bordure en côtes retroussée.

FOURNITURES

Difficulté
Niveau débutant

Taille
Selon le tour de tête :
3-9 mois : 45-47 cm
9 mois-2 ans : 48-50 cm
3-5 ans : 50-52 cm

Laine
Une ballle d'Artesano Aran, 100 g – 132 m ; 50 % alpaga superfin et 50 % laine des Highlands du Pérou. Nous avons utilisé le coloris SFN10 Strathy.

Aiguilles
Aiguilles 4 mm (US 6)
Aiguilles 5 mm (US 8)

Accessoires
Aiguille à laine à bout rond

Échantillon
18 m x 24 rgs = 10 cm en jersey endroit, aiguilles 5 mm.

RÉALISATION

Bonnet

Avec les aiguilles 4 mm, montez 83 (87, 91) m en utilisant la méthode classique.
Rg 1 (endroit) : 1 m end, *1 m env, 1 m end ; répétez à partir de * jusqu'à la fin.
Rg 2 : 1 m env, *1 m end, 1 m env ; répétez à partir de * jusqu'à la fin.
Répétez les rgs 1 et 2 quatre (cinq, six) fois pour monter la bordure de côtes 1/1.
Rgs suivants : 1 m end, *1 jeté, 2 m ens end ; répétez à partir de * jusqu'à la fin.
Rgs suivants : comme le rg 2.
Passez aux aiguilles 5 mm.
En commençant par un rang endroit, tricotez 40 (42, 44) rangs en jersey.
Rabattez les mailles.

Finitions

Pliez l'ouvrage en deux, endroit contre endroit, en alignant les côtés. Cousez la partie en jersey au point arrière. Retournez le bonnet et cousez la partie en côtes envers contre envers pour que la couture soit cachée lorsque la bande de côtes sera repliée. Positionnez la couture latérale au dos du bonnet et assemblez la bordure du haut. Pincez chaque coin et fixez par quelques petits points de couture. Puis coupez un ruban en deux longueurs égales, à nouer joliment autour de chaque « oreille ».

SAC SOLEIL

VOTRE DOSE QUOTIDIENNE DE BONHEUR est dans ce sac. Crocheté en simples mailles serrées, cet ouvrage se monte très vite. Vous pouvez le faire aussi profond que vous le souhaitez, il vous suffit d'adapter le nombre de rangs. Ce sac en fil extensible à base de t-shirts recyclés accueillera tous vos petits trésors et retrouvera sa forme initiale dès qu'il sera vide.

FOURNITURES

Difficulté
Niveau débutant

Size
29 x 34 cm

Laine
Une balle de Hoooked Zpagetti, 120 m ; 92 % coton, 8 % élasthanne. Nous avons utilisé du jaune (coloris Yellow).

Crochet
Crochet 9 mm

Accessoires
Anneaux marqueurs
Aiguille à laine à bout rond

Échantillon
8 m x 9 rgs = 10 cm en ms, crochet 9 mm.

RÉALISATION

Avec le crochet 9 mm, montez une chaînette de 26 ml.
Tr 1 : 3 ms dans la 2e ml à partir du crochet, 1 ms dans chacune des ml suivantes jusqu'à la dernière, 3 ms dans la dernière ml, tournez l'ouvrage de 180° et continuez à crocheter en piquant dans le brin inférieur des ml : 23 ms, fermez le tour par 1 mc dans la 1re ml. (52 ms)
Placez un anneau marqueur dans la 1re maille du rang suivant et continuez à travailler en spirale. Ne fermez pas les tours par une maille coulée, et déplacez l'anneau marqueur vers le haut à chaque tour.
Tr 2 : 1 ms dans chaque ms, ne fermez pas le tour par une mc. (52 ms)
Répétez ce tour jusqu'à ce que le sac mesure 23 cm ou la hauteur de votre choix.
Poignée : 7 ms, 11 ml, passez les 11 ms suivantes, 15 ms, 11 ml, passez les 11 ms suivantes, ms jusqu'à la fin du rang.
Tr suivants : (1 ms dans chaque ms jusqu'aux ml, 11 ms dans l'arceau) x 2, ms jusqu'à la fin. (52 ms)
Tr suivants : 1 ms dans chaque ms, ne fermez pas le tour par une mc. (52 ms)
Répétez ce dernier tour 2 fois, fermez le dernier tour par 1 mc dans la 1re ms du tour précédent.
Arrêtez le fil.

Finitions
Rentrez tous les fils et mettez légèrement en forme.

ASTUCE

L'épaisseur du fil peut varier en raison de la méthode de fabrication, ce qui signifie que la taille de l'échantillon peut être différente des indications. Si vous trouvez que les mailles sont trop lâches, prenez un crochet plus petit.

PANIER DOUILLET

LES CHATS ADORENT se blottir dans les petits endroits douillets et confortables. Ce panier est crocheté en fil extensible issu de l'industrie textile, à base de t-shirts recyclés. Le poids et l'élasticité de chaque pelote de laine varient en fonction du tissu utilisé, mais la longueur est toujours la même. Ce panier conviendra à un chat de petite ou moyenne taille.

FOURNITURES

Difficulté
Niveau débutant

Taille
38 cm de diamètre
7,5 cm de hauteur

Laine
Une balle de Hoooked Zpagetti, 120 m ; 92 % coton, 8 % élasthanne. Nous avons utilisé le coloris rose cœur (Heart Rose).

Crochet
Crochet 10 mm

Accessoires
Anneau marqueur
Aiguille à laine à bout rond

Échantillon
8,5 m x 10 rgs = 10 cm en ms, crochet 10 mm.

RÉALISATION

Montez 2 ml, crochetez 6 ms dans la 2e ml à partir du crochet, fermez le tour par 1 mc dans la 1re m.
Tr 1 : 1 ml, puis crochetez 2 ms dans chaque m. Ne fermez pas le tour par une mc et placez un anneau marqueur sur la dernière m. (12 m)
Tr 2 : (2 ms dans la même m, 1 ms dans la m suivante), répétez sur tout le tour. (18 m)
Tr 3 : (2 ms dans la même m, 1 ms dans chacune des 2 m suivantes), répétez sur tout le tour. (24 m)
Tr 4 : (2 ms dans la même m, 1 ms dans chacune des 3 m suivantes), répétez sur tout le tour. (30 m)
Tr 5 : (2 ms dans la même m, 1 ms dans chacune des 4 m suivantes), répétez sur tout le tour. (36 m)
Tr 6 : (2 ms dans la même m, 1 ms dans chacune des 5 m suivantes), répétez sur tout le tour. (42 m)
Tr 7 : (2 ms dans la même m, 1 ms dans chacune des 6 m suivantes), répétez sur tout le tour. (48 m)
Tr 8 : (2 ms dans la même m, 1 ms dans chacune des 7 m suivantes), répétez sur tout le tour. (54 m)
Tr 9 : (2 ms dans la même m, 1 ms dans chacune des 8 m suivantes), répétez sur tout le tour. (60 m)
Tr 10 : (2 ms dans la même m, 1 ms dans chacune des 9 m suivantes), répétez sur tout le tour. (66 m)
Tr 11 : (2 ms dans la même m, 1 ms dans chacune des 10 m suivantes), répétez sur tout le tour. (72 m)
Tr 12 : (2 ms dans la même m, 1 ms dans chacune des 11 m suivantes), répétez sur tout le tour. (78 m)
Tr 13 : (2 ms dans la même m, 1 ms dans chacune des 12 m suivantes), répétez sur tout le tour. (84 m)
Tr 14 : (2 ms dans la même m, 1 ms dans chacune des 13 m suivantes), répétez sur tout le tour. (90 m)
Tr 15 : (2 ms dans la même m, 1 ms dans chacune des 14 m suivantes), répétez sur tout le tour. (96 m)
Tr 16 : (2 ms dans la même m, 1 ms dans chacune des 15 m suivantes), répétez sur tout le tour. (102 m)
Tr 17 : 1 ms dans le brin arrière de chaque m.
Tr 18 : (point granité) : 1 ms, *1 ml, passez 1 m, 1 ms dans la m suiv ; répétez à partir de * jusqu'à la fin.
Tr 19 : 1 ml, *1 ms dans l'arceau, 1 ml ; répétez à partir de * jusqu'à la fin.
Répétez le rg 19 encore 4 fois.
Fermez le tour par 1 mc, arrêtez le fil et rentrez-le.

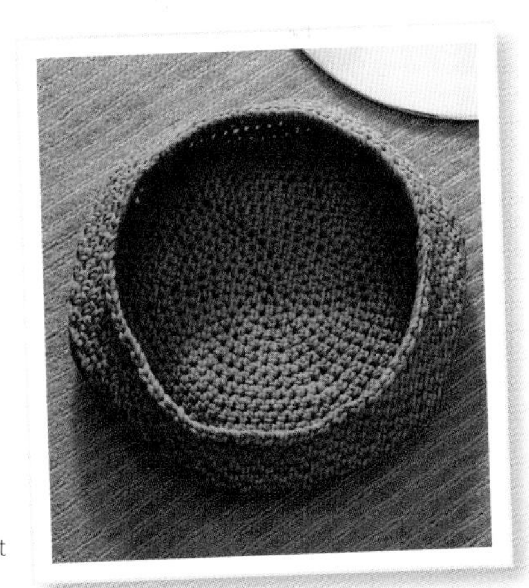

Les augmentations régulières forment un joli motif géométrique au fond du panier, même si vous risquez de ne pas le voir à travers la fourrure de votre chat.

BONNET À POMPON

CE BONNET AMPLE EST ORNÉ D'UN POMPON GÉANT pour bien le faire retomber derrière et lui donner son look ultra-cool. Les côtes à la base maintiennent fermement le bonnet en place malgré le poids du pompon, tout en s'adaptant à pratiquement tous les tours de tête. C'est l'idéal pour les matins d'automne un peu frileux.

FOURNITURES

Difficulté
Niveau moyen

Taille
Femme adulte

Laine
Une balle de Cascade Eco+, 250 g – 436 m ; 100 % laine. Nous avons utilisé le coloris 0508, petits fruits (Berry).

Aiguilles
Aiguilles 4,5 mm (US 7)
Aiguilles 5,5 mm (US 9)

Accessoires
Aiguille à laine à bout rond
Carton
Ciseaux pointus

Échantillon
17 m x 25 rgs = 10 cm en motif « mûres », aiguilles 5,5 mm.

RÉALISATION

Avec les aiguilles 4,5 mm, montez 102 mailles en utilisant la méthode classique.
Rg 1 (endroit) : 1 m end, *1 m end, 1 m env ; répétez à partir de * jusqu'à la dernière maille, 1 m end.
Répétez le rang 1 encore 32 fois pour terminer la bande de côtes 1/1 sur l'endroit de l'ouvrage.
Rg 34 : 2 m end, 1 m env, aug1, [(1 m end, 1 m env)x2, 1 m end, aug1, (1 m env, 1 m end)x2, 1 m env, aug1]x9, (1 m end, 1 m env)x2, 1 m end, aug1, (1 m env, 1 m end)x2. (122 m)
Passez aux aiguilles 5,5 mm.
Rg 35 (endroit) : toutes les mailles à l'envers.
Rg 36 : 1 m end, *aug2 dans la m suivante, 3 m ens env ; répétez à partir de * jusqu'à la dernière maille, 1 m end.
Rg 37 : toutes les mailles à l'envers.
Rg 38 : 1 m end, *3 m ens env, aug2 dans la m suivante ; répétez à partir de * jusqu'à la dernière maille, 1 m end.
Les rangs 35 à 38 forment le motif « mûres ». Répétez-les encore 8 fois.
Rg 71 : toutes les mailles à l'envers.
Rg 72 : 1 m end, *3 m ens env, 1 m end ; répétez à partir de * jusqu'à la dernière maille, 1 m end. (62 m)
Rg 73 : toutes les mailles à l'envers.
Rg 74 : 1 m end, (3 m ens env)x20, 1 m end. (22 m)
Rg 75 : (2 m ens env)x11. (11 m)
Coupez le fil en gardant une longueur suffisante pour la couture, et passez-le dans les 11 m restantes.

Finitions
Tirez bien le fil au sommet du bonnet pour rassembler les mailles. Arrêtez-le solidement sans le couper.
Pliez le bonnet en deux à l'envers et rapprochez les deux bords. Avec le reste de fil, cousez la partie principale du bonnet et la moitié supérieure des côtes au point arrière. Retournez le bonnet sur l'endroit et cousez la partie inférieure des côtes envers contre envers pour que la couture soit cachée lorsque la bande de côtes sera repliée. Fabriquez un pompon et cousez-le solidement au bonnet.

Pompon
Découpez deux disques en carton de 12 cm de diamètre. Évidez-en le centre en découpant un disque de 4,5 cm de diamètre pour créer deux anneaux. Maintenez les deux anneaux l'un contre l'autre et enroulez la laine régulièrement sur tout le tour en passant par le centre jusqu'à ce qu'il soit comblé par les épaisseurs de laine. Passez les ciseaux entre les deux épaisseurs de carton et coupez soigneusement la laine sur tout le pourtour. Enroulez une bonne longueur de laine entre les deux cartons pour emprisonner les brins au centre du pompon en faisant plusieurs tours et en serrant bien, puis faites un nœud solide pour arrêter le fil. Retirez le carton et ébouriffez le pompon. Si nécessaire, égalisez les brins aux ciseaux pour obtenir une forme bien régulière.

BRACELET CUIVRÉ

LE FIL MÉTALLIQUE EST PARFOIS UN PEU DIFFICILE À TRAVAILLER. Ce bracelet n'utilise donc que des mailles serrées toutes simples pour rehausser l'éclat du fil cuivré – on dirait presque de l'or rose. Même la maille serrée peut être fatigante à crocheter, n'hésitez donc pas à prendre votre temps et à faire des pauses pour reposer vos mains.

FOURNITURES

Difficulté
Niveau débutant

Taille
5 cm de large, longueur au choix

Laine
Un rouleau de fil métallique Beadsmith Craft Wire, 0,3 mm ; 36,5 m. Nous avons utilisé le coloris cuivre antique (Antique Copper). Vous pouvez utiliser n'importe quel fil métallique de 0,3 mm.

Crochet
Crochet 2 mm

Accessoires
4 perles de 5 mm pour le fermoir
Aiguille à bout rond

Échantillon
L'échantillon n'est pas important.

RÉALISATION

Avec le crochet 2 mm, montez une chaînette de 14 ml en laissant une bonne longueur de fil avant de former le nœud coulant de démarrage (assez long pour coudre les 4 perles).
Rg 1 : 1 ms dans la 2e ml à partir du crochet, puis 1 ms dans chaque ml jusqu'à la fin. (13 ms)
Rg 2 : 1 ml, 1 ms dans chaque maille jusqu'à la fin. (13 ms)
Répétez le rang 2 jusqu'à ce que le bracelet soit assez long pour faire confortablement le tour de votre poignet. Ne coupez pas le fil.
Rang de boutonnières : [4 ml, passez 2 ms, 1 mc dans la ms suivante] × 4, pour former 4 boutonnières.
Arrêtez le fil et rentrez l'extrémité.

Finitions
Mettez le bracelet en forme délicatement, en aplatissant si besoin les mailles déformées sur les bords.
À l'aide de la longueur de fil qui reste au début de l'ouvrage, fixez quatre perles régulièrement le long de la chaînette de base en face des quatre boutonnières.
Rentrez proprement le fil qui dépasse.
Attachez le bracelet à votre poignet. Vous pouvez manipuler les boutonnières pour assurer une bonne fixation des perles.

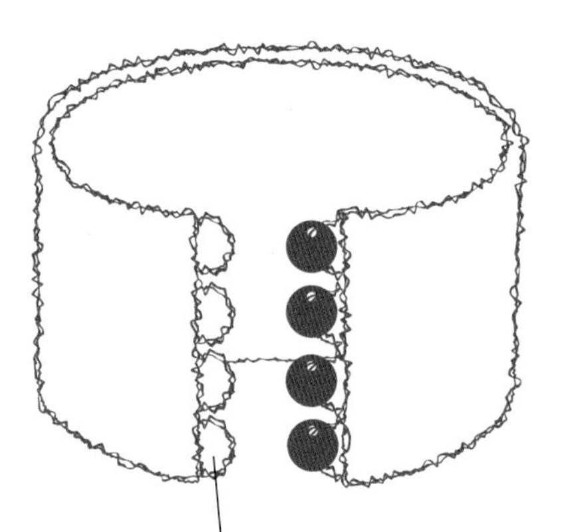

Créez des boutonnières à passer autour des perles pour fermer le bracelet.

FOURNITURES

Difficulté
Niveau avancé

Taille
Femme adulte
60 cm de la pointe au sommet

Laine
Une balle de DY Choice Aran with Wool, 400 g – 800 m ; 75 % acrylique, 25 % laine. Nous avons utilisé le coloris 503 Multifleck.

BAS DE LAINE

QUOI DE MIEUX QU'UNE GRASSE MATINÉE avec un café chaud et de confortables bas moelleux ? Ces bas hauts à torsades sont idéals pour la maison ou à l'intérieur de bottes pour sortir. Ils sont tricotés à plat avec une semelle au point perlé contrarié, une variante du point de riz. Sans talon, ils sont plus simples à réaliser que les bas « normaux » et conviendront à presque toutes les pointures.

Aiguilles
Aiguilles 5 mm (US 8)
Aiguille auxiliaire (aig aux)

Accessoires
Aiguille à laine à bout rond

Échantillon
16 m x 25 rgs = 10 cm
au point perlé contrarié*,
aiguilles 5,5 mm.
*Point perlé contrarié (sur un nombre pair de mailles) :
Rg 1 : [1 m end, 1 m env].
Rgs 2 et 4 : toutes les m à l'envers.
Rg 3 : [1 m env, 1 m end].
Répétez les 4 rangs.

Abréviations spéciales
Aug1 : Relevez le brin horizontal avant la maille suivante et placez-le sur l'aiguille gauche pour le tricoter. **Aug1end** signifie qu'il faut tricoter cette nouvelle maille à l'endroit, **Aug1env** signifie qu'il faut la tricoter à l'envers. **T4D** : Torsade de 4 m à droite : glissez les 2 m suiv sur l'aig aux derrière l'ouvrage, tricotez 2 m end, puis tricotez les 2 m de l'aig aux.
T4G : Torsade de 4 m à gauche : glissez les 2 m suiv sur l'aig aux devant l'ouvrage, tricotez 2 m end. puis tricotez les 2 m de l'aig aux.
Toutes les torsades d'un même rang sont orientées dans le même sens.
Surjet double : gl1end, 2 m ens end, rabattre la m glissée.

RÉALISATION

Pour les deux pieds
Montez 58 m en utilisant la méthode tricotée (à l'anglaise).
Rg 1 : [2 m end, 2 m env]x14, 2 m end.
Rg 2 : [2 m env, 2 m end]x14, 2 m env.
Rgs 3-40 : répétez les rangs 1 et 2.
Rg 41 : 6 m env, [4 m end, 10 m env]x3, 4 m end, 6 m env.
Rg 42 : 6 m end, [2 m env, aug1end, 2 m env, 10 m end]x3, 2 m env, aug1end, 2 m env, 6 m end. (62 m)
Rg 43 : 4 m env, 2 m ens env, [2 m end, 1 m env, aug1env, 2 m end, 2 m ens env, 6 m env, 2 m ens env]x3, 2 m end, 1 m env, aug1env, 2 m end, 2 m ens env, 4 m env. (58 m)
Rg 44 et tous les rangs pairs, sauf indications spécifiques : tricotez les mailles comme elles se présentent.
Rg 45 : 3 m env, 2 m ens env, [2 m end, aug1env, 2 m env, aug1env, 2 m end, 2 m ens env, 4 m env, 2 m ens env]x3, 2 m end, aug1env, 2 m env, aug1env, 2 m end, 2 m ens env, 3 m env.
Rg 47 : 2 m env, [2 m ens env, 2 m end, aug1env, 4 m env, aug1env, 2 m end, 2 m ens env, 2 m env]x4.
Rg 49 : 1 m env, [2 m ens env, 2 m end, aug1env, 6 m env, aug1env, 2 m end, 2 m ens env]x4, 1 m env.
Rg 51 : 2 m ens env [2 m end, aug1env, 8 m env, aug1env, 2 m end, 2 m ens env]x4.
Rg 53 : 1 m env, 2 m end, [10 m env, T4D pour le pied gauche/T4G pour le pied droit]x3, 10 m env, 2 m end, 1 m env.
Rg 54 : 1 m end, [2 m env, 10 m end, 2 m env, aug1end]x3, 2 m env, 10 m end, 2 m env, 1 m end. (61 m)
Rg 55 : 1 m env, [aug1env, 2 m end, 2 m ens env, 6 m env, 2 m ens env, 2 m end, 1 m env]x3, aug1env, 2 m end, 2 m ens env, 6 m env, 2 m ens env, 2 m end, aug1env, 1 m env. (58 m)
Rg 57 : 2 m env, [aug1env, 2 m end, 2 m ens env, 4 m env, 2 m ens env, 2 m end, aug1env, 2 m env]x4.
Rg 59 : 3 m env, [aug1env, 2 m end, 2 m ens env, 2 m env, 2 m ens env, 2 m end, aug1env, 4 m env]x3, aug1env, 2 m end, 2 m ens env, 2 m env, 2 m ens env, 2 m end, aug1env, 3 m env.
Rg 61 : 4 m env, [aug1env, 2 m end, 2 m ens env, 2 m ens env, 2 m end, aug1env, 6 m env]x3, aug1env, 2 m end, 2 m ens env, 2 m ens env, 2 m end, aug1env, 4 m env.
Rg 63 : 5 m env, [aug1env, 2 m end, 2 m ens env, 2 m end, aug1env, 8 m env]x3, aug1env, 2 m end, 2 m ens env, 2 m end, aug1env, 5 m env. (62 m)
Rg 64 : 6 m end, 2 m env [2 m ens env, 1 m env, 10 m end, 2 m env]x3, 2 m ens env, 1 m env, 6 m end. (58 m)
Rg 65 : 6 m env, [T4G pour le pied gauche/T4D pour le pied droit, 10 m env]x3, T4G pour le pied gauche/T4D pour le pied droit, 6 m env. (58 m)
Rg 66 : 4 m end, [2 m ens end, 2 m env, aug1end, 2 m env, 8 m end]x3, 2 m ens end, 2 m env, aug1end, 2 m env, 6 m end.
Rg 67 : 4 m env, [2 m ens env, 2 m end, 1 m env, aug1env, 2 m end, 2 m ens env, 5 m env]x3, 2 m ens env, 2 m end, 1 m env, aug1env, 2 m end, 2 m ens env, 3 m env. (54 m)
Rg 68 : 4 m end, [2 m env, 2 m end, 2 m env, 2 m ens end, 5 m end]x3, 2 m env, 2 m end, 2 m env, 2 m ens end, 3 m end. (50 m)
Rg 69 : 2 m env, [2 m ens env, 2 m end, aug1env, 2 m env, aug1env, 2 m end, 2 m ens env, 2 m env]x4.
Rg 71 : 1 m env, [2 m ens env, 2 m end, aug1env, 4 m env, aug1env, 2 m end, 2 m ens env]x4, 1 m env.
Rg 73 : [2 m ens env, 2 m end, aug1env, 6 m env, aug1env, 2 m end]x4, 2 m ens env. (53 m)
Rg 74 : 1 m end, [2 m env, 8 m end, 1 m env, 2 m ens env]x3, 2 m env, 8 m end, 2 m env, 1 m end. (50 m)
Rg 75 : 1 m env, 2 m end, [8 m env, T4D pour le pied gauche/T4G pour le pied droit]x3, 8 m env, 2 m end, 1 m env.

À suivre...

Rg 76 : 1 m end, [2 m env, 2 m ens end, 6 m end, 2 m env, aug1end]×4, 1 m end.
Rg 77 : 2 m env, [2 m end, 2 m ens env, 3 m env, 2 m ens env, 2 m end, 1 m env, aug1env]×3, 2 m end, 2 m ens env, 3 m env, 2 m ens env, 2 m end, aug1env, 1 m env. (46 m)
Rg 78 : 2 m end, [2 m env, 3 m end, 2 m ens end, 2 m env, 2 m end]×4. (42 m)
Rg 79 : [2 m env, aug1env, 2 m end, 2 m ens env, 2 m ens env, 2 m end, aug1env]×4, 2 m env.
Rg 81 : [3 m env, aug1env, 2 m end, 2 m ens env, 2 m end, aug1env, 1 m env]×4, 2 m env. (46 m)
Rg 82 : [4 m end, 2 m env, 2 m ens env, 1 m env, 2 m end]×4, 2 m end. (42 m)
Rg 83 : [4 m env, T4G pour le pied gauche/T4D pour le pied droit, 2 m env]×4, 2 m env.
Rg 84 : [4 m end, 2 m env, aug1end, 2 m env, 2 m end]×4, 2 m end. (46 m)
Rg 85 : [2 m env, 2 m ens env, 2 m end, aug1env, 1 m env, 2 m end, 2 m ens env]×4, 2 m env. (42 m)

Pied droit

Rg 87 : 1 m env, [1 m end, 1 m env]×10, [2 m ens env, 2 m end, aug1env, 2 m env, aug1env, 2 m end, 2 m ens env]×2, 1 m env.
Rg 88 : [2 m end, 2 m env, 4 m end, 2 m env]×2, 1 m end, 21 m env.
Rg 89 : [1 m end, 1 m env]×10, 2 m ens env, [2 m end, aug1env, 4 m env, aug1env, 2 m end, 2 m ens env]×2.
Rg 90 : 1 m end, 2 m env, 6 m end, 1 m env, 2 m ens env, 2 m env, 6 m end, 2 m env, 1 m end, 20 m env.
Rg 91 : 1 m end, [1 m end, 1 m env]×10, 2 m end, 6 m env, T4G, 6 m env, 2 m end, 1 m env.
Rg 92 : 1 m end, 2 m env, 6 m end, 2 m env, aug1end, 2 m env, 6 m end, 2 m env, 1 m end, 20 m env.
Rg 93 : [1 m end, 1 m env]×10, 1 m env, aug1env, 2 m end, 2 m ens env, 2 m env, 2 m ens env, 2 m end, 1 m env, aug1env, 2 m end, 2 m ens env, 2 m env, 2 m ens env, 2 m env, aug1env, 1 m env. (42 m)
Rg 94 : 2 m end, 2 m env, 4 m end, 2 m env, 2 m end, 2 m env, 4 m end, 2 m env, 2 m end, 20 m env.
Rg 95 : 2 m end, [1 m env, 1 m end]×9, 2 m env, [aug1env, 2 m end, 2 m ens env, 2 m ens env, 2 m end, aug1env, 2 m env]×2.
Rg 96 : 3 m end, 2 m env, 2 m end, 2 m env, 4 m end, 2 m env, 2 m end, 2 m env, 3 m end, 20 m env.
Rg 97 : [1 m end, 1 m env]×10, 3 m env, aug1env, 2 m end, 2 m ens env, 2 m end, aug1env, 4 m env, aug1env, 2 m end, 2 m ens env, 2 m end, aug1env, 3 m env. (44 m)
Rg 98 : 4 m end, 1 m env, 2 m ens env, 2 m env, 6 m end, 1 m env, 2 m ens env, 2 m env, 4 m end, 20 m env. (42 m)
Rg 99 : 2 m end, [1 m env, 1 m end]×9, 4 m env, T4D, 6 m env, T4D, 4 m env.
Rg 100 : 4 m end, 2 m env, aug1end, 2 m env, 6 m end, 2 m env, aug1end, 2 m env, 4 m end, 20 m env. (44 m)
Rg 101 : [1 m end, 1 m env]×10, 2 m env, 2 m ens env, 2 m end, 1 m env, aug1env, 2 m end, 2 m ens env, 2 m env, 2 m ens env, 2 m end, 1 m env, aug1env, 2 m end, 2 m ens env, 2 m env. (42 m)
Rg 102 : 3 m end, 2 m env, 2 m end, 2 m env, 4 m end, 2 m env, 2 m end, 2 m env, 3 m end, 20 m env.
Rg 103 : 2 m end, [1 m env, 1 m end]×9, 1 m env, [2 m ens env, 2 m end, aug1env, 2 m env, aug1env, 2 m end, 2 m ens env]×2, 1 m env.
Rg 104 : 2 m end, [2 m env, 4 m end, 2 m env, 2 m end]×2, 20 m env.

Pied gauche

Rg 87 : 1 m env, [2 m ens env, 2 m end, aug1env, 2 m env, aug1env, 2 m end, 2 m ens env]×2, [1 m env, 1 m end]×10, 1 m env.
Rg 88 : 21 m env, 1 m end, [2 m env, 4 m end, 2 m env, 2 m end]×2.
Rg 89 : [2 m ens env, 2 m end, aug1env, 4 m env, aug1env, 2 m end]×2, 2 m ens env, [1 m env, 1 m end]×10. (43 m)
Rg 90 : 20 m env, 1 m end, 2 m env, 6 m end, 2 m env, 2 m ens env, 1 m env, 6 m end, 2 m env, 1 m end. (42 m)
Rg 91 : 1 m env, 2 m end, 6 m env, T4D, 6 m env, 2 m end, [1 m env, 1 m end]×10, 1 m end.
Rg 92 : 20 m env, 1 m end, 2 m env, 6 m end, 2 m env, aug1end, 2 m env, 6 m end, 2 m env, 1 m end. (43 m)
Rg 93 : 1 m env, aug1env, 2 m end, 2 m ens env, 2 m env, 2 m ens env, 2 m end, aug1env, 1 m env, 2 m end, 2 m ens env, 2 m env, 2 m ens env, 2 m end, aug1env, 1 m env, [1 m env, 1 m end]×10. (42 m)
Rg 94 : 20 m env, 2 m end, 2 m env, 4 m end, 2 m env, 2 m end, 2 m env, 4 m end, 2 m env, 2 m end.
Rg 95 : [2 m env, aug1env, 2 m end, 2 m ens env, 2 m ens env, 2 m end, aug1env]×2, 2 m env, [1 m end, 1 m env]×9, 2 m end.
Rg 96 : 20 m env, 3 m end, 2 m env, 2 m end, 2 m env, 4 m end, 2 m env, 2 m end, 2 m env, 3 m end.
Rg 97 : 3 m env, aug1env, 2 m end, 2 m ens env, 2 m end, aug1env, 4 m env, aug1env, 2 m end, 2 m ens env, 2 m end, aug1env, 3 m env, [1 m env, 1 m end]×10. (44 m)
Rg 98 : 20 m env, 4 m end, 2 m env, 2 m ens env, 1 m env, 6 m end, 2 m env, 2 m ens env, 1 m env, 4 m end. (42 m)
Rg 99 : 4 m env, T4G, 6 m env, T4G, 4 m env, [1 m end, 1 m env]×9, 2 m end.
Rg 100 : 20 m env, 4 m end, 2 m env, aug1end, 2 m env, 6 m end, 2 m env, aug1end, 2 m env, 4 m end. (44 m)
Rg 101 : 2 m env, 2 m ens env, 2 m end, aug1env, 1 m env, 2 m end, 2 m ens env, 2 m env, 2 m ens env, 2 m end, aug1env, 1 m env, 2 m end, 2 m ens env, 2 m env, [1 m env, 1 m end]×10. (42 m)
Rg 102 : 20 m env, 3 m end, 2 m env, 2 m end, 2 m env, 4 m end, 2 m env, 2 m end, 2 m env, 3 m end.
Rg 103 : 1 m env, [2 m ens env, 2 m end, aug1env, 2 m env, aug1env, 2 m end, 2 m ens env]×2, 1 m env, [1 m end, 1 m env]×9, 2 m end.
Rg 104 : 20 m env, [2 m end, 2 m env, 4 m end, 2 m env]×2, 2 m end.

Les deux pieds

Rgs 105-120 : répétez les rangs 89-104.
Rgs 121-128 : répétez les rangs 89-96.
Rg 129 : 2 m ens end, 18 m end, 1 surjet double, 17 m end, 2 m ens end. (38 m)
Rg 130 et tous les rangs pairs suivants : tricotez toutes les m à l'envers
Rg 131 : 2 m ens end, 16 m end, 1 surjet double, 15 m end, 2 m ens end. (34 m)
Rg 133 : 2 m ens end, 14 m end, 1 surjet double, 13 m end, 2 m ens end. (30 m)
Rg 135 : 2 m ens end, 12 m end, 1 surjet double, 11 m end, 2 m ens end. (26 m)
Rg 137 : 2 m ens end, 10 m end, 1 surjet double, 9 m end, 2 m ens end. (22 m)
Rg 139 : 2 m ens end, 8 m end, 1 surjet double, 7 m end, 2 m ens end. (22 m)
Rg 140 : rabattez toutes les m à l'endroit et arrêtez l'ouvrage en passant une grande longueur de fil à travers la dernière boucle.

Finitions

Pliez chaque bas en deux, endroit contre endroit, et faites une couture soigneuse au point de surjet depuis les orteils jusqu'en haut, en faisant bien correspondre les mailles de chaque rang.

Le talon n'est pas mis en forme dans ce modèle, les semelles sont simplement marquées par un point différent.

ASTUCE

Faites bien attention au nombre de mailles de chaque rang pour ne pas vous perdre en chemin.

CHIEN TRÈS CHIC

METTEZ-VOUS SUR VOTRE 31 pour accompagner votre chien quand il portera son nœud papillon. La laine utilisée est parsemée d'éclats métalliques pour plus d'élégance. Le nœud s'attache avec des boutons-pression et s'adapte à différentes tailles. Pour un tour de cou un peu plus long, il vous suffit de tricoter autant de rangs supplémentaires que nécessaire.

FOURNITURES

Difficulté
Niveau débutant

Taille
Tour de cou 35 cm

Laine
Une balle de James C Brett Twinkle DK, 100 g – 300 m ; 97 % acrylique, 3 % polyester. Nous avons utilisé le coloris 03 rouge (Red).

Crochet
Crochet 3,5 mm

Accessoires
Aiguille à laine à bout rond
Boutons-pression
Fil assorti
Aiguille à coudre

Échantillon
22 m x 25 rgs = 10 cm en ms, crochet 3,5 mm.

RÉALISATION

Papillon
Montez une chaînette de 21 ml.
Tr 1 : 1 ms dans la 2e ml à partir du crochet, puis 1 ms dans les 18 m suivantes, 2 ms dans la dernière ml ; tournez et revenez le long de la chaînette de base en crochetant 1 ms dans les 18 m suivantes, et 2 ms dans la dernière m. (42 m)
Trs 2-31 : 1 ms dans chaque m jusqu'à la fin du rang.
Arrêtez le fil, repassez la pièce et cousez l'ouverture pour obtenir un rectangle double épaisseur.

Centre du nœud
Montez une chaînette de 6 ml.
Rg 1 : 1 ms dans la 2e ml à partir du crochet, puis 1 ms dans les 4 m suivantes. (5 m)
Rgs 2-20 : 1 ml pour tourner, 1 ms dans chaque m jusqu'à la fin du rang. (5 m)
Arrêtez le fil et cousez la pièce autour du grand rectangle pour former les « ailes » du nœud papillon. Rentrez et coupez les fils qui dépassent.

Tour de cou
Montez une chaînette de 7 ml.
Rg 1 : 1 ms dans la 2e ml à partir du crochet, puis 1 ms dans les 5 m suivantes. (6 m)
Rgs 2-90 : 1 ml pour tourner, 1 ms dans chaque maille jusqu'à la fin du rang. (6 m)
Arrêtez le fil.

Finitions
Cousez le milieu du tour de cou sur l'arrière du papillon. Fixez des boutons-pression aux extrémités du tour de cou pour qu'il soit à la bonne taille. Il est légèrement extensible ; si vous souhaitez offrir ce nœud papillon, cousez plusieurs boutons-pression à quelques cm les uns des autres, pour qu'il s'adapte au mieux. Rentrez et coupez les fils qui dépassent.

MITAINES BRANCHÉES

RIEN DE PLUS PÉNIBLE QUAND IL FAIT FROID QUE D'AVOIR À MANIPULER SON CELLULAIRE AVEC DE GROS GANTS. Ces mitaines chic laissent le pouce et l'index dégagé. Voilà qui vous simplifiera la vie, si vous devez répondre à un appel ou vérifier votre itinéraire sur une carte.

FOURNITURES

Difficulté
Niveau moyen

Taille
Femme adulte : circonférence de la main 19 cm, du tour de poignet 16,5 cm

Laine
Une balle de Juniper Moon Farm Moonshine, 100 g – 180 m ; 40 % laine, 40 % alpaga et 20 % soie. Nous avons utilisé le coloris 14 Popsicle.

Aiguilles
Un jeu de quatre aiguilles double pointe 4,5 mm (US 7)

Accessoires
Anneau marqueur
Deux arrête-mailles

Échantillon
20 m x 28 rgs = 10 cm en jersey, aiguilles 4,5 mm.

RÉALISATION

Main droite

Montez 32 mailles. Joignez-les pour tricoter en rond en faisant attention de ne pas vriller l'ouvrage. Placez un anneau marqueur au début du tour.
Tricotez un tour à l'envers.
Tricotez 18 trs à l'endroit.
Tr aug 1 : 6 m end, aug1, tricotez à l'endroit jusqu'aux 2 dernières m, aug1, 2 m end. (34 m)
Tricotez 4 trs à l'endroit.
Tr aug 2 : 7 m end, aug1, tricotez à l'endroit jusqu'aux 3 dernières m, aug1, 3 m end. (36 m)
Tricotez 4 trs à l'endroit.
Tr aug 3 : 8 m end, aug1, tricotez à l'endroit jusqu'aux 4 dernières m, aug1, 4 m end. (38 m)
Tricotez 4 trs à l'endroit.
Base du pouce : 1 m end, prenez un morceau de fil contrastant et tricotez 6 m end, tournez, 6 m env, reprenez le fil normal et tricotez à l'endroit jusqu'à la fin du tour.
Tricotez 10 trs à l'endroit (ou jusqu'à la base du petit doigt).

Petit doigt

Tricotez 15 m end et mettez-les en attente sur un arrête-mailles.
Tricotez 8 m end, puis mettez les 15 m restantes en attente.
Montez 2 m env à partir de la dernière m tricotée (pour la fourchette) et répartissez ces 10 m sur trois aiguilles.
Tricotez 15 trs à l'endroit.
Tr suiv : 2 m ens end jusqu'à la fin. (5 m)
Coupez le fil et passez-le dans les mailles restantes, serrez-le pour refermer le doigt et arrêtez-le.
Reprenez un fil, relevez 2 m sur la fourchette et terminez le tour à l'endroit.

Annulaire

Tricotez 10 m et mettez-les en attente.
Tricotez 5 m end, relevez 2 m sur la fourchette, 5 m end, puis mettez les 10 m restantes en attente.
Montez 2 m env à partir de la dernière m tricotée et répartissez ces 14 m sur trois aiguilles, puis tricotez 19 trs à l'endroit.
Tr suiv : 2 m ens end jusqu'à la fin. (7 m)
Coupez le fil et passez-le dans les mailles restantes, serrez-le pour refermer le doigt et arrêtez-le.
Reprenez un fil, relevez 2 m sur la fourchette et terminez le tour à l'endroit.

Majeur

Mettez les 5 premières et les 5 dernières mailles en attente pour l'index.
Avec un nouveau fil, en commençant sur le devant de l'ouvrage, tricotez 5 m end, relevez 2 m sur la fourchette, 5 m end, montez 2 m env et répartissez ces 14 m sur trois aiguilles. Tricotez 21 trs à l'endroit.
Tr suiv : 2 m ens end jusqu'à la fin. (7 m)
Coupez le fil et passez-le dans les mailles restantes, serrez-le pour refermer le doigt et arrêtez-le.

Index

Avec un nouveau fil, relevez 2 m sur la fourchette, tricotez les 10 m en attente à l'endroit et répartissez ces 12 m sur trois aiguilles. Tricotez 10 trs à l'endroit.
Tricotez 1 tr à l'envers.
Rabattez les mailles.

Pouce

Avec un nouveau fil, relevez 6 m le long du rang inférieur de fil contrastant, attrapez la moitié de la m suiv, puis relevez 6 m le long du rang supérieur de fil contrastant et attrapez la moitié de la m suiv (14 m)
Tricotez 1 tr à l'endroit.
Tr suiv : 5 m end, 2 m ens end, 5 m end, 2 m ens end. (12 m)
Tricotez 6 trs à l'endroit.
Tricotez 1 tr à l'envers.
Rabattez les mailles.

Main gauche

Tricotez comme pour la main droite, mais remplacez certains tours comme suit :
Tours d'augmentations :
Tr aug 1 : 2 m end, aug1, tricotez à l'endroit jusqu'aux 6 dernières m, aug1, 6 m end. (34 m)
Tr aug 2 : 3 m end, aug1, tricotez à l'endroit jusqu'aux 7 dernières m, aug1, 7 m end. (36 m)
Tr aug 3 : 4 m end, aug1, tricotez à l'endroit jusqu'aux 8 dernières m, aug1, 8 m end. (38 m)
Base du pouce :
Tricotez à l'endroit jusqu'à 7 m de la fin du tour, prenez un morceau de fil contrastant et tricotez 6 m end, tournez, 6 m env, reprenez le fil normal et 7 m end.

Finitions

Rentrez tous les fils qui dépassent et enlevez le fil contrastant.

ASTUCE

Ce bonnet ample a un aspect torsadé grâce aux mailles croisées à partir du 5e rang. C'est une technique qui permet de réaliser des torsades sans aiguille auxiliaire.

BONNET PASSE-PARTOUT

AVEC SES CÔTES ASSAISONNÉES D'UN ZESTE DE TORSADES, ce bonnet ample allie le contemporain au classique. Tricoté avec une laine mélangée, assez fine (DK), il est doux et confortable. Sa taille unique conviendra à la plupart des adultes et adolescents : vous pouvez en faire un pour vous, un pour votre sœur, un pour votre meilleur ami, un pour votre moitié…

FOURNITURES

Difficulté
Niveau moyen

Taille
Le bonnet fini mesure 23 cm de large (non étiré) et 31 cm de long

Laine
Une balle de Sirdar Hayfield DK with Wool, 100 g – 300 m ; 80 % acrylique, 20 % laine. Nous avons utilisé le coloris 97 Fisherfolk.

Aiguilles
Aiguilles 6,5 mm (US 10½)

Accessoires
Aiguille à laine à bout rond

Échantillon
15 m x 18 rgs = 10 cm en jersey, aiguilles 6,5 mm avec le fil en double

Points particuliers
Mt : maille torse (tricotez par le brin arrière).
2 m croisées : tricotez la 2e m de l'aiguille, puis la 1re m, et laissez tomber les 2 mailles de l'aiguille gauche en même temps.
Surjet double : gl 1 end, 2 m ens end, passez la m glissée par-dessus la m tricotée.

RÉALISATION

Pour ce modèle, utilisez le fil en double.
Montez 77 m.
Rg 1 : 2 m env, 1 mt end, 2 m env, *4 m end, 2 m env, 1 mt end, 2 m env. Répétez à partir de *.
Rg 2 : 2 m end, 1 mt env, 2 m end, *4 m env, 2 m end, 1 mt env, 2 m end. Répétez à partir de *.
Rg 3 : 2 m env, 1 mt end, 2 m env, *4 m end, 2 m env, 1 mt end, 2 m env. Répétez à partir de *.
Rg 4 : 2 m end, 1 mt env, 2 m end, *4 m env, 2 m end, 1 mt env, 2 m end. Répétez à partir de *.
Rg 5 : 2 m env, 1 mt end, 2 m env, *(1 m end, 2 m croisées, 1 m end), 2 m env, 1 mt end, 2 m env. Répétez à partir de *.
Rg 6 : 2 m end, 1 mt env, 2 m end, *4 m env, 2 m end, 1 mt env, 2 m end. Répétez à partir de *.
Répétez ces six rangs encore 6 fois.
Rg 43 : 2 m env, 1 mt end, 2 m env, *4 m end, 2 m env, 1 mt end, 2 m env. Répétez à partir de *.
Rg 44 : 2 m end, 1 mt env, 2 m end, *4 m env, 2 m end, 1 mt env, 2 m end. Répétez à partir de *.
Rg 45 : 2 m env, 1 mt end, 2 m env, *4 m end, 2 m env, 1 mt end, 2 m env. Répétez à partir de *.
Rg 46 : 2 m end, 1 mt env, 2 m end, *4 m env, 2 m end, 1 mt env, 2 m end. Répétez à partir de *.
Rg 47 : (1 m env, 1 surjet double, 1 m env, 1 m end, 2 m croisées, 1 m end) x 8, 1 m env, 1 surjet double, 1 m env. (59 m)
Rg 48 : (2 m ens env) x 14, 3 m env, (2 m ens env) x 14. (31 m)
Rg 49 : (2 m ens end) x 7, 3 m end, (ss1) x 7. (17 m)
Rg 50 : (2 m ens env) x 4, 1 m env, (2 m ens env) x 4. (9 m)
Coupez le fil, passez-le dans les mailles restantes et serrez bien fort.

Finitions
Assemblez les côtés du bonnet au point de matelas pour obtenir une couture bien plate. Rentrez les fils qui dépassent.

POCHETTE POP

CROCHETÉE EN VISCOSE légèrement brillant, cette pochette ne vous quittera plus. Selon le fil et le type de bouton que vous utiliserez, ce modèle pourra donner des résultats très variés, pour accompagner une robe du soir ou aller magasiner. Nous avons choisi un tissu vif pour la doublure, mais vous pouvez le faire plus discret si c'est votre style.

FOURNITURES

Difficulté
Niveau débutant

Taille
29 x14 cm

Laine
Une balle de Drops Cotton Viscose, 50 g – 110 m ;
54 % coton, 46 % viscose.
Nous avons utilisé le coloris 13 Bleu lavande.

Aiguilles
Crochet 5 mm

Accessoires
Aiguille à laine à bout rond
Feutrine assortie 33 x 33 cm
Colle à tissu (en option)
Aiguille à coudre
Fil à coudre assorti
Doublure 50 cm
Gros bouton
Épingles
Mètre de couturière

Échantillon
17 m x 17 rgs = 10 cm en motif, crochet 5 mm.

RÉALISATION

Montez une chaînette de 49 ml.
Rg 1 : 1 ms dans la 2e ml à partir du crochet, 1 br dans la ml suiv, puis répétez (1 ms, 1 br) jusqu'à la fin de la chaînette. (48 m)
Rg 2 : 1 ml, tournez, répétez (1 ms dans la br suiv, 1 br dans la ms suiv) jusqu'à la fin du rang. (48 m)
Répétez le rg 2 jusqu'à ce que l'ouvrage mesure 35 cm. Arrêtez le fil et rentrez les fils qui dépassent.

Montage

Coupez un morceau de feutrine juste assez grand pour couvrir le rectangle, tout en restant à l'intérieur du bord des points. Cousez ou collez cette feutrine sur la pochette. Elle la renforcera tout en restant invisible sous la doublure.
Pliez le rectangle comme suit pour former la pochette.
Avec la feutrine sur le dessus, pliez le bord inférieur vers le haut de 13 cm. Ensuite, pliez vers le bas la partie restante du haut. Vous avez la forme de la pochette. Repassez légèrement pour marquer les plis, puis dépliez l'ouvrage.
Cousez une boucle de 8 cm de laine au milieu du bord supérieur de la pochette pour former la boutonnière. Les extrémités seront dissimulées par la doublure.

Doublure

Coupez un rectangle de tissu légèrement plus grand que la pochette à plat.
Sur l'envers, rentrez les bords bruts du tissu avant de le coudre au point de surjet sur l'intérieur de la pochette, de manière à ce que la doublure couvre complètement la feutrine.
Repliez la pochette comme avant et cousez les côtés à la main ou à la machine.
Fixez le bouton de votre choix sur l'avant de la pochette pour la terminer.

MITAINES À CACHE-CACHE

CES DÉLICATES MITAINES AÉRIENNES deviennent instantanément plus confortables avec une chaude doublure en polaire. Si vous choisissez une doublure contrastée, elle jettera ses éclats colorés à travers la dentelle au crochet. Essayez d'associer gris et fluo pour un look tendance, ou optez pour le ton sur ton si vous préférez un style plus discret.

FOURNITURES

Difficulté
Niveau moyen

Taille
Femme adulte

Laine
Une balle de Sirdar Wool Rich Aran, 100 g – 190 m ; 60 % laine, 40 % acrylique. Nous avons utilisé le coloris 311 ardoise (Shingle).

Aiguilles
Crochet 4 mm

Accessoires
2 morceaux de polaire extensible de 20 x 20 cm
Épingles
Aiguille à coudre
Fil à coudre assorti
Aiguille à laine à bout rond

Échantillon
Chaque carré, hors tour d'assemblage, mesure environ 9 x 9 cm

Abréviations spécifiques
Pt soufflé : (1 jeté, piquez le crochet dans la m, 1 jeté et ramenez une boucle de la taille d'une demi-bride) x 3, on a 7 boucles sur le crochet, 1 jeté et ramenez le fil à travers toutes les boucles d'un seul coup.
Picot : 3 ml, 1 mc dans la 1re ml.

RÉALISATION

Réalisez deux carrés complets avec le tour d'assemblage, et six carrés jusqu'au 4e tour. Vous aurez huit carrés au total, quatre par mitaine.

Avec le crochet 4 mm, montez 2 ml.
Tr 1 : [1 pt soufflé, 3 ml] x 6 dans la 2e ml à partir du crochet. (6 pts soufflés)
Tr 2 : 1 mc dans l'arceau de 3 ml, 2 ml (comptent pour 1 db), 3 db dans le même arceau, [4 db dans l'arceau suiv] jusqu'à la fin, 1 mc au sommet des 2 ml initiales pour fermer le tour. (24 db)
Tr 3 : 4 ml, passez 2 db, 1 ms dans l'espace entre la 2e et la 3e db, 4 ml, passez 4 db, 1 ms dans l'espace entre les 2 db suiv, *4 ml, passez 2 db, 1 ms dans l'espace entre les 2 db suiv, 4 ml, passez 4 db, 1 ms dans l'espace entre les 2 db suiv ; répétez à partir de * jusqu'à la fin, en terminant par 1 ms au pied de la 1re ml. (8 arceaux)
Tr 4 : 1 mc dans le prochain arceau, 2 ml (ne comptent pas pour un point), *(1 pt soufflé, 2 ml, 1 pt soufflé, 2 ml, 1 pt soufflé) dans le même arceau, 1 ml, 5 db dans l'arceau suiv, 1 ml ; répétez à partir de * sur tout le tour, fermez par 1 mc au sommet des 2 ml initiales.
Tour d'assemblage : avancez en mc jusqu'au 2e pt soufflé du prochain arceau d'angle, 2 ml (ne comptent pas pour un point), 1 pt soufflé dans le pt soufflé, 1 picot, *3 ml, passez 1 pt soufflé, 1 ms dans l'arceau d'1 ml suiv, 3 ml, passez 2 db, 1 ms dans la db suiv, 3 ml, passez 2 db, 1 ms dans l'arceau suiv, 3 ml, passez 1 pt soufflé, **1 pt soufflé dans le pt soufflé suiv, 1 picot ; répétez à partir de * jusqu'à la fin en terminant la dernière répétition à **, fermez le tour par 1 mc dans les 2 ml initiales.
Arrêtez le fil.
Mettez légèrement les carrés en forme.

Assemblage des carrés
Prenez l'un des carrés complets (1er carré) et accrochez-le à un carré sans tour d'assemblage (2e carré) en plaçant le 1er carré au-dessus du 2e carré, comme suit.
Attachez le fil à un pt soufflé central du 2e carré, 2 ml (ne comptent pas pour un point), 1 pt soufflé dans le pt soufflé, 3 ml, passez un pt soufflé, 1 ms dans l'arceau suiv, 3 ml, passez 2 db, 1 ms dans

La suite par ici...

ASTUCE

Si vous voulez des mitaines légères pour les journées plus chaudes, ne cousez pas de doublure. La dentelle restera ouverte et les mitaines seront moins épaisses.

la db suiv, 3 ml, passez 2 db, 1 ms dans l'arceau suiv, 3 ml, passez 1 pt soufflé, 1 pt soufflé dans le pt soufflé suiv, 1 ml, 1 mc dans le picot à l'angle du 1er carré, 1 ml, 1 mc dans le pt soufflé, 1 ml, 1 ms dans l'arceau correspondant du 1er carré, 1 ml, 1 ms dans un arceau du 2e carré, 1 ml, 1 ms dans l'arceau correspondant du 1er carré, 1 ml, passez 2 db sur le 2e carré, 1 ms dans la 3e db du 2e carré, 1 ml, 1 ms dans l'arceau correspondant du 1er carré, 1 ml, 1 ms dans l'arceau suiv du 2e carré, 1 ml, 1 ms dans l'arceau correspondant du 1er carré, 1 ml, passez le pt soufflé suiv du 2e carré, 1 pt soufflé dans le pt soufflé suiv, 1 ml, 1 mc dans le picot correspondant du 1er carré, 1 ml, 1 mc dans le pt soufflé, terminez le tour comme indiqué de * à ** pour le tour d'assemblage. Arrêtez le fil.
Pour le 3e carré, assemblez-le au côté droit du 1er carré, comme pour le 2e carré. Enfin, ajoutez le 4e carré en l'assemblant de la même manière au bas du 3e carré et au côté droit du 2e carré. Vous avez ainsi un grand carré composé de quatre petits carrés. Procédez à l'identique pour la 2e mitaine.

Bordure

Rattachez le fil dans l'angle supérieur droit de la mitaine.
Rg 1 : 1 ml, puis crochetez 39 ms régulièrement le long de la bordure supérieure de la mitaine, tournez. (39 ms)
Rg 2 : 2 ml, passez 1 ms, [1 pt soufflé dans la ms suiv, 1 ml, passez 1 ms] jusqu'à la dernière m, 1 db dans la dernière m, tournez. (19 pts soufflés)
Rg 3 : 1 ml, 1 ms dans chaque pt soufflé et m jusqu'à la fin. (39 ms)
Arrêtez le fil.
Rattachez le fil à la bordure inférieure et répétez l'opération. Mettez légèrement les carrés en forme.

Doublure

Placez le tissu envers contre envers sur les carrés, pour que la doublure en polaire soit à l'intérieur des mitaines. Le tissu doit s'arrêter juste en dessous des bordures en ms du haut et du bas. Épinglez-le avant de le coudre à petits points de surjet sur tout le pourtour.
Pliez les mitaines doublées en deux dans le sens de la longueur, doublure à l'intérieur, et cousez le côté en partant du haut sur 6 cm. Laissez un espace de 6 cm pour le pouce, puis continuez la couture sur les 8 cm du bas.

Pouce

Tr 1 : rattachez le fil en bas de l'ouverture du pouce, 1 ml et crochetez 28 ms régulièrement sur tout le pourtour. Fermez par 1 mc dans la 1re ms.
Tr 2 : 2 ml (comptent pour 1 db), 1 db dans chaque ms, fermez le tour par 1 mc au sommet des ml initiales. (29 db)
Tr 3 : 2 ml (comptent pour 1 db), (2 db ens) x 3, 1 db dans chaque db jusqu'aux 6 dernières m, (2 db ens) x 3, fermez le tour par 1 mc au sommet des ml initiales. (23 db)
Tr 4 : 1 ml (ne compte pas comme un point), (2 ms ens) x 3, 1 ms dans chaque db jusqu'aux 6 dernières m, (2 ms ens) x 3, fermez le tour par 1 mc dans la 1re ml. (17 ms)
Arrêtez le fil.

Finitions

Rentrez tous les fils qui dépassent avec l'aiguille à bout rond. Mettez légèrement en forme.

Les mitaines sont formées de carrés assemblés. Ci-dessus un carré complet.

Si vous avez des restes de laine à la maison, vous pouvez crocheter les carrés avec différentes laines pour des mitaines multicolores.

ASTUCE

Il est difficile de déterminer la taille d'un échantillon en côtes, car c'est un point assez extensible. Pour y remédier, réalisez votre échantillon en jersey avec les aiguilles et la laine spécifiées.

CACHE-COL UNISEXE

CE CACHE-COL ÉPAIS EN GROSSES CÔTES convient aussi bien aux femmes qu'aux hommes. Même s'il est tricoté en rond, les deux premiers rangs sont réalisés à plat pour éviter que l'ouvrage soit vrillé. Vous pourrez facilement coudre le petit espace dans la bordure inférieure lorsque vous rentrerez les fils qui dépassent.

FOURNITURES

Difficulté
Niveau débutant

Taille
Adulte

Laine
Une balle de Cascade Eco+, 250 g – 436 m ; 100 % laine. Nous avons utilisé le coloris 9447 bruyère (Forest Heather).

Aiguilles
Aiguille circulaire 5 mm (US 8) avec câble de 60 cm

Accessoires
Aiguille à laine à bout rond

Échantillon
17 m x 23 rgs = 10 cm en jersey, aiguille 5 mm.

RÉALISATION

Écharpe

Avec une aiguille circulaire 5 mm longue de 60 cm, montez 180 m en utilisant la méthode classique.
Rg 1 (endroit) : *3 m end, 1 m env ; répétez à partir de * jusqu'à la fin ; tournez.
Rg 2 : *1 m end, 3 m env ; répétez à partir de * jusqu'à la fin ; tournez.
Rg 3 : *3 m end, 1 m env ; répétez à partir de * jusqu'à la fin ; ne tournez pas l'ouvrage, mais fermez le rond et continuez à tricoter en spirale à partir du début du rang, en répétant le motif de côtes 3/1 jusqu'à ce que l'ouvrage mesure 33 cm.
Rabattez les mailles telles qu'elles se présentent.

Finitions

Enfilez l'extrémité du fil de montage sur une aiguille à bout rond et utilisez-la pour coudre les deux premiers rangs. Rentrez tous les fils qui dépassent.

TUQUE COOL POUR LA RENTRÉE

RÉALISÉ AVEC UNE LAINE À RAYURES, cette tuque pour enfant est parfaite pour la rentrée. Nos petits mannequins Julien et Émilie se sont bien amusés à jouer à la tague en s'échangeant cette jolie tuque. La laine 100 % acrylique est lavable à la machine, l'idéal pour les enfants. C'est le plus simple des modèles de tuque, crocheté entièrement en mailles serrées en rond.

FOURNITURES

Difficulté
Niveau débutant

Taille
Enfant 1-4 ans

Laine
Une balle de Sirdar Hayfield Colour Rich Chunky, 200 g – 325 m ; 100 % acrylique. Nous avons utilisé le coloris 0384 prune et gris (Plum Grey).

Aiguilles
Crochet 6,5 mm

Accessoires
Anneau marqueur
Aiguille à laine à bout rond

Échantillon
13 m x 16 rgs = 10 cm en ms, crochet 6,5 mm.

RÉALISATION

Faites un anneau magique et crochetez 8 ms dedans. (8 m)
Placez un marqueur dans la 1re m du tr suivant et continuez en spirale sans fermer les tours par une mc. Montez le marqueur à chaque tour.
Tr 1 : 2 ms dans chaque m jusqu'à la fin. (16 m)
Tr 2 : (1 ms dans la 1re m, 2 ms dans la m suiv) – répétez jusqu'à la fin. (24 m)
Tr 3 : (1 ms dans les 2 premières m, 2 ms dans la m suiv) – rép jusqu'à la fin. (32 m)
Tr 4 : (1 ms dans les 7 premières m, 2 ms dans la m suiv) – rép jusqu'à la fin. (36 m)
Tr 5 : (1 ms dans les 8 premières m, 2 ms dans la m suiv) – rép jusqu'à la fin. (40 m)
Tr 6 : (1 ms dans les 9 premières m, 2 ms dans la m suiv) – rép jusqu'à la fin. (44 m)
Tr 7 : (1 ms dans les 10 premières m, 2 ms dans la m suiv) – rép jusqu'à la fin. (48 m)
Tr 8 : (1 ms dans les 11 premières m, 2 ms dans la m suiv) – rép jusqu'à la fin. (52 m)
Tr 9-27 : 1 ms dans chaque m jusqu'à la fin. (52 m)

Finitions
Arrêtez le fil et rentrez les fils qui dépassent.

ASTUCE

L'anneau marqueur est indispensable pour travailler en spirale sans perdre le début de chaque rang.

ASTUCE

Si vous voulez essayer ces jambières au fur et à mesure que vous les tricotez, transférez les mailles sur un long morceau de laine. N'oubliez pas de laisser l'anneau marqueur en place et remettez les mailles sur les aiguilles pour reprendre le tricot

JAMBIÈRES CONFORT

CETTE LAINE FABULEUSE forme un motif complexe mais subtil, sans l'étourdissant mélange de couleurs du jacquard. Si vous préférez des jambières unies, il vous suffit d'utiliser une laine similaire à la nôtre. Ces jambières sont parfaites pour les journées d'automne un peu fraîches, ou simplement pour la maison. Une petite touche des années 1980, sans en faire trop.

FOURNITURES

Difficulté
Niveau débutant

Taille
Femme adulte
27 cm de circonférence,
41,5 cm de haut sans
le revers.

Laine
Une balle de Cascade
Heritage Print, 100 g –
400 m ; 75 % mérinos,
25 % nylon. Nous avons utilisé
le coloris 09 nuages (Clouds).

Aiguilles
Un jeu de quatre aiguilles
double pointe 3 mm (US 3)
Un jeu de quatre aiguilles
double pointe 3,25 mm (US 3)

Accessoires
Anneau marqueur
Aiguille à laine à bout rond

Échantillon
30 m x 43 rgs = 10 cm
en jersey, aiguilles 3,25 mm.

RÉALISATION

Avec les aiguilles 3 mm, montez 80 m en notant à quel endroit de la séquence des couleurs le fil se trouve.
Fermez le rond en faisant attention à ne pas vriller l'ouvrage. Placez un anneau marqueur pour repérer le début des tours. Ces jambières se tricotent du haut vers le bas.
Tricotez 14 cm de côtes 1/1 (1 m end, 1 m env du début à la fin de chaque tour).
Passez aux aiguilles 3,25 mm.
Tricotez 23 cm de jersey.
Repassez aux aiguilles 3 mm.
Tricotez 4,5 cm de côtes 1/1.
Rabattez les mailles.
Tricotez la deuxième jambière en prenant le fil au même endroit dans la séquence des couleurs pour que les rayures correspondent.

Finitions
Rentrez les fils qui dépassent.

PETITES PANTOUFLES ROSES

GARDEZ VOS PIEDS BIEN AU CHAUD avec ces petites pantoufles façon mocassins. Nous vous recommandons d'y coudre des semelles en cuir pour éviter de glisser. Ces pantoufles sont tricotées à plat, puis mises en forme par une couture invisible sous la semelle et à l'arrière. Elles sont très confortables, avec assez de place pour que vos orteils prennent leurs aises.

FOURNITURES

Difficulté
Niveau moyen

Taille
Femme adulte, pointure 38-40

Laine
Une balle de Rowan Brushed Fleece, 50 g – 105 m ; 65 % mérinos, 30 % alpaga, 5 % polyamide. Nous avons utilisé le coloris 257 Grotto.

Aiguilles
Aiguilles 4,5 mm (US 7)

Accessoires
Anneaux marqueurs
Semelles en cuir perforées
Fil à coudre épais
Aiguille à coudre
Aiguille à laine à bout rond

Échantillon
18 m x 32 rgs = 10 cm en jersey, aiguilles 4,5 mm.

Abréviations/points spécifiques
PM : placez un anneau marqueur.
Surjet double : gl1 end, 2 m ens end, rabattre la m glissée.

RÉALISATION

Semelle
Montez 70 m avec la technique de montage classique.
Rg 1 : 35 m endroit, PM, 35 m endroit.
Rg 2 : 1 m end, aug1, tric à l'endroit jusqu'à 1 m avant l'anneau marqueur, aug1, 2 m end, aug1, tricotez à l'endroit jusqu'à la dernière m, aug1, 1 m end. (74 m)
Rg 3 : toutes les m à l'endroit.
Répétez les rgs 2 et 3 encore 4 fois. (90 m)
Rg suiv : 1 m end, aug1, tricotez à l'endroit jusqu'à 1 m avant l'anneau marqueur, aug1, 1 m end, aug1, 1 m end, aug1, tric à l'endroit jusqu'à la dernière m, aug1, 1 m end. (95 m)

Dessus de la pantoufle
Rgs 1 et 3 : toutes les m à l'endroit.
Rg 2 : toutes les m à l'envers.
Rg 4 : 43 m env, PM, 9 m env, PM, 43 m env.
Rg 5 : tric à l'endroit jusqu'à 7 m avant l'anneau marqueur, (ss1)x2, 3 m ens end, 9 m end, 1 surjet double, (2 m ens end)x2, tricotez à l'endroit jusqu'à la fin. (87 m)
Rg 6 : toutes les mailles à l'envers.
Rgs 7-12 : répétez les rgs 5 et 6 encore 3 fois. (63 m)
Rg 13 : 36 m end, ss1, tournez. (62 m)
Rg 14 : gl1, 9 m env, 2 m ens env, tournez. (61 m)
Rg 15 : gl1, 9 m end, ss1, tournez. (60 m)
Rg 16 : gl1, 9 m env, 2 m ens env, tournez. (59 m)
Rgs 17-20 : répétez les rgs 15 et 16 encore 2 fois. (55 m)
Rg 21 : gl1, 9 m end, ss1, tricotez à l'endroit jusqu'à la fin (sans tourner).
Rg 22 : rabattez 21 m, 9 m end, 2 m ens env, rabattez les mailles restantes.
Sur l'endroit de l'ouvrage, rattachez le fil et continuez sur les 11 m restantes.
Rg 23 : ss1, tricotez à l'endroit jusqu'aux 2 dernières m, 2 m ens end. (9 m)
Rg 24 : toutes les mailles à l'envers.
Rgs 25-27 : répétez les rgs 23, 24 et encore une fois 23. (5 m)
Rabattez les mailles à l'envers.
Recommencez pour la 2e pantoufle.

Finitions
Avec une aiguille à bout rond, faites une couture bord à bord sous la semelle et à l'arrière du talon au point de matelas.
Cousez les semelles en cuir sous chaque pantoufle.

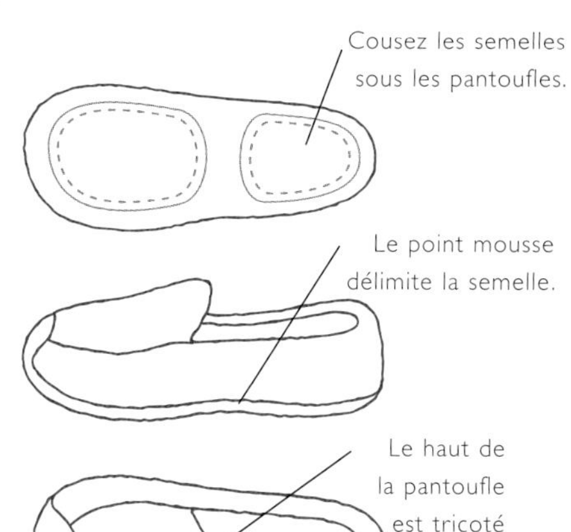

LE PULL DE FIDO

AUCUN CHIEN BIEN ÉLEVÉ ne sortirait sans un pull à la mode. Fido a opté pour un gris neutre à porter au quotidien, mais nous pensons qu'il serait tout aussi élégant en rouge ou en vert. Ce modèle utilise toute la pelote de la laine recommandée : vérifiez votre échantillon pour ne pas risquer de tomber à court de laine avant la fin !

FOURNITURES

Difficulté
Niveau moyen

Taille
Pour un chien d'environ 50 cm de tour de poitrine et de 46 cm du cou à la queue

Laine
Une balle de James C. Brett Aztec Aran, 100 g – 190 m ; 90 % acrylique, 10 % alpaga. Nous avons utilisé le coloris 10 gris tendre (Gray).

Aiguilles
Aiguille circulaire 4,5 mm (US 7) avec câble de 40 cm
Aiguille circulaire 5 mm (US 8) avec câble de 40 cm
Un jeu de quatre aiguilles double pointe 4,5 mm (US 7)
Aiguille auxiliaire

Accessoires
Aiguille à laine à bout rond

Échantillon
18 m x 24 rgs = 10 cm en jersey, aiguilles 5 mm

RÉALISATION

Pull

Avec l'aiguille circulaire 4,5 mm, montez 80 m et fermez le rond.
Tour de côtes 3/1 : *3 m end, 1 m env ; répétez à partir de * jusqu'à la fin.
Répétez ce tour encore 8 fois.
Tour de côtes 1/1 : *1 m end, 1 m env ; répétez à partir de * jusqu'à la fin.
Répétez ce tour encore 8 fois.
Passez à l'aiguille circulaire 5 mm.
Tour d'augmentation : *8 m end, aug1 ; répétez à partir de * jusqu'à la fin. (90 m)
Tricotez ensuite 16 cm en jersey, en terminant par un tour pair.

Ouvertures des pattes

Tr suiv : 12 m end, rabattez 10 m, 45 m end, rabattez 10 m, 13 m end.
Tr suiv : 12 m end, tournez.
Sur le groupe de 25 m, tricotez 11 rgs de jersey en allers-retours, en commençant et en finissant par un rang envers.
Rg suiv : 13 m end.
Laissez le fil attaché et mettez ces 25 m en attente sur une aiguille auxiliaire.
En commençant sur l'endroit, tricotez 12 rgs de jersey en allers-retours sur les 45 autres mailles, en terminant par un rang envers (utilisez l'autre extrémité de la balle pour éviter d'avoir à couper et à rattacher le fil).
Revenez au fil d'origine.
Tr suiv : 12 m end, montez 10 m, 45 m end, montez 10 m, 13 m end.
Tricotez 20 trs de jersey.
Tr suiv : rabattez 17 m, 57 m end, rabattez 16 m.
Coupez le fil et rattachez-le sur l'endroit de l'ouvrage.
Tricotez les 57 m restantes en allers-retours comme suit.
Rg 1 : toutes les m à l'endroit.
Rg 2 : toutes les m à l'envers.
Rg 3 : ss1, tricotez à l'endroit jusqu'aux 2 dernières m, 2 m ens end. (55 m)
Rg 4 : toutes les m à l'envers.
Répétez les rgs 3 et 4 encore 5 fois. (45 m)
Rg suiv : 1 surjet double, tricotez

Continuez, vous y êtes presque...

ASTUCE

Rabattez les mailles souplement pour vous assurer que les pattes seront confortables. Ce serait dommage de faire tout ce travail pour que votre chien soit de mauvaise humeur !

à l'endroit jusqu'aux 2 dernières m, 3 m ens end. (41 m)
Rg suiv : toutes les m à l'envers.
Répétez ces deux rangs encore 2 fois, puis le premier des deux encore 1 fois. (29 m)
Rabattez toutes les m à l'envers.

Pattes

Avec l'aiguille circulaire 4,5 mm, relevez 40 m sur le pourtour de l'ouverture (10 de chaque côté).
Tricotez 9 rgs en côtes 3/1, et rabattez les m comme elles se présentent.
Répétez pour la deuxième patte.

Bordure

Tricotez une cordelette le long de la bordure arrière du pull comme suit : avec les aiguilles double pointe 4,5 mm, montez 2 m.
En commençant sur l'envers de l'ouvrage :
Rg 1 : 1 m end, gl1, relevez une m à travers la lisière du pull et passez la m glissée par-dessus la nouvelle m, glissez les m jusqu'à l'autre extrémité de l'aiguille de droite, tirez le fil à l'arrière.
Répétez ce rang en relevant une m pratiquement à chaque rang du tour du pull, en fonction de la taille des mailles.
À la fin du tour, passez la 1re m par-dessus la 2e et arrêtez l'ouvrage en passant le fil à travers la dernière maille.

ASTUCE

Ce cache-col devient bonnet en fermant le sommet par un cordon. Passez ce cordon bien régulièrement le long de la bordure supérieure pour éviter d'avoir une forme asymétrique : le sommet du bonnet doit être bien net.

BONNET DOUBLE-EMPLOI

NOUS ADORONS LES OBJETS À USAGES MULTIPLES : ce bonnet qui se transforme en cache-col est tout simplement parfait. C'est un tube avec un cordon passé dans la bordure supérieure. Il suffit de tirer le cordon et de le passer à l'intérieur pour avoir un joli bonnet côtelé. Relâchez le cordon, et portez-le en cache-col.

FOURNITURES

Difficulté
Niveau débutant

Taille
Adulte
30 cm de haut par 50 cm de circonférence

Laine
Une balle de Faircroft Junior, 500 g – 1 500 m ; 100 % acrylique. Nous avons utilisé le coloris 3052 Astor.

Aiguilles
Crochet 5 mm

Accessoires
Aiguille à laine à bout rond

Échantillon
18 m x 9 rgs = 10 cm en motif de brides, crochet 5 mm.

RÉALISATION

Montez une chaînette de 54 ml.
Rg 1 : 1 br dans la 3e ml à partir du crochet, puis 1 br dans chaque m de la chaînette. (52 m)
Rg 2 : 2 ml, tournez, puis 1 br dans chaque m en piquant dans le brin arrière. (52 m)
Répétez le rg 2 jusqu'à ce que l'ouvrage mesure 50 cm.
Arrêtez le fil en laissant une longueur suffisante pour la couture.

Finitions

Pliez en deux pour que le motif côtelé soit à la verticale, et cousez les bords pour former un tube. Rentrez et coupez les fils qui dépassent.

Cordon

Avec un fil assorti, montez une chaînette de 100 m.
Arrêtez le fil. Enfilez le cordon sur une aiguille à bout rond et passez-le dans les mailles de la bordure supérieure du tube, afin qu'il puisse se refermer en bonnet.
Nouez les extrémités du cordon pour qu'il reste en place.
Ouvert, c'est un cache-col. Fermé, c'est un bonnet – vous pouvez le retourner sur l'envers si vous ne voulez pas que le cordon se voie, ou bien passer les bouts du cordon vers l'intérieur avant d'enfiler le bonnet.

ASTUCE

Lorsque vous réalisez les mailles serrées le long des bords, travaillez très régulièrement pour que la cravate reste bien plate.

LE RETOUR DE LA CRAVATE

LA CRAVATE DÉCONTRACTÉE VA AVOIR SON HEURE de gloire. Même si le motif est simple, toutes ces petites mailles vont vous donner du travail. C'est un projet parfait si vous voulez vous occuper les mains sans trop réfléchir. Crochetez des points bien réguliers et mettez la cravate en forme pour éviter qu'elle se torde.

FOURNITURES

Difficulté
Niveau débutant

Taille
140 cm de long pour 4,5 cm de large

Laine
Une balle de DMC Petra n° 3, 100 g – 280 m ; 100 % coton mercerisé. Nous avons utilisé le coloris 5500 Vert.

Aiguilles
Crochet 3 mm

Accessoires
Aiguille à laine à bout rond

Échantillon
30 m x 29 rgs = 10 cm en ms, crochet 3 mm.

RÉALISATION

Avec le crochet 3 mm, montez une chaînette de 12 ml assez lâches.
Rg 1 : 1 ms dans la 2e ml à partir du crochet, puis 1 ms dans chaque ml jusqu'à la fin. Tournez. (11 m)
Rg 2 : 1 ml, 1 ms dans chaque m jusqu'à la fin.
Tournez (11 m).
Répétez le rg 2 jusqu'à ce que l'ouvrage mesure 140 cm. Ne coupez pas le fil.

Finitions
1 mc dans chaque m jusqu'à la fin du rang, 1 ml, puis crochetez des ms régulièrement sur toute la hauteur de la cravate, 1 ml à l'angle, puis avancez en mc le long de la chaînette de base jusqu'à la fin, 1 ml, remontez en ms régulièrement sur toute la hauteur.
Arrêtez le fil et rentrez les fils qui dépassent.
Mettez légèrement en forme.

CACHE-OREILLES TORSADÉ

GARDEZ LA TÊTE AU CHAUD sans aplatir votre coiffure grâce à ce bandeau extra-large. Deux boutons-pression à l'arrière vous permettent de le mettre et de l'enlever sans frotter vos cheveux. Le motif des torsades n'est pas fait pour les débutants, mais avec un peu de patience, ce projet est à la portée de tous.

FOURNITURES

Difficulté
Niveau moyen

Taille
Femme adulte
58 x 12 cm au point le plus large

Laine
Une balle de King Cole Gypsy Super Chunky, 100 g – 92 m ; 80 % acrylique, 20 % laine. Nous avons utilisé le coloris 1556 Fjord.

Aiguilles
Aiguilles 9 mm (US 13)
Aiguille à torsade (aiguilles aux)

Accessoires
Deux grands boutons-pression
Aiguille à coudre
Fil à coudre

Échantillon
18 m x 15 rgs = 10 cm en motif de torsades, aiguilles 9 mm.

Abréviations spécifiques
T4G/T4D (torsade sur 4 mailles à gauche/à droite) : glissez 2 m sur une aig aux à l'avant/à l'arrière de l'ouvrage, tric les 2 m suiv de l'aiguille gauche à l'endroit, puis tric les 2 m de l'aig aux à l'endroit.
T6G/T6D (torsade sur 6 mailles à gauche/à droite) : glissez 3 m sur une aig aux à l'avant/à l'arrière de l'ouvrage, tric les 3 m suiv de l'aiguille gauche à l'endroit, puis tric les 3 m de l'aig aux à l'endroit.
T8G/T8D (torsade sur 8 mailles à gauche/à droite) : glissez 4 m sur une aig aux à l'avant/à l'arrière de l'ouvrage, tric les 4 m suiv de l'aiguille gauche à l'endroit, puis tric les 4 m de l'aig aux à l'endroit.

RÉALISATION

Avec les aiguilles 9 mm, montez 10 m.
Rg 1 (endroit) : 4 m end, 2 m env, 4 m end.
Rg 2 : 4 m env, 2 m end, 4 m env.
Rg 3 : T4D, 2 m env, T4G.

Augmentation
Rg 4 : 4 m env, (1 m end, 1 m env) dans la m suiv, (1 m env, 1 m end) dans la m suiv, 4 m env. (12 m)
Rg 5 : T4D, 1 m env, 2 m end, 1 m env, T4G.
Rg 6 : 4 m env, (1 m end, 1 m env) dans la m suiv, 2 m env, (1 m env, 1 m end) dans la m suiv, 4 m env. (14 m)
Rg 7 : T4D, 1 m env, 4 m end, 1 m env, T4G.
Rg 8 : 4 m env, (1 m end, 1 m env) dans la m suiv, 4 m env, (1 m env, 1 m end) dans la m suiv, 4 m env. (16 m)
Rg 9 : T4D, 1 m env, T6G, 1 m env, T4G.
Rg 10 : 4 m env, (1 m end, 1 m env) dans la m suiv, 6 m env, (1 m env, 1 m end) dans la m suiv, 4 m env. (18 m)
Rg 11 : T4D, 1 m env, 8 m end, 1 m env, T4G.
Rg 12 : 4 m env, (1 m end, 1 m env) dans la m suiv, 8 m env, (1 m env, 1 m end) dans la m suiv, 4 m env. (20 m)
Rg 13 : T4D, 1 m env, 10 m end, 1 m env, T4G.
Rg 14 : 4 m env, (1 m end, 1 m env) dans la m suiv, 10 m env, (1 m env, 1 m end) dans la m suiv, 4 m env. (22 m)

Répétition du motif de torsades
Rg 15 : T4D, 1 m env, T8D, 4 m end, 1 m env, T4G.
Rg 16, 18 et 20 : 4 m env, 1 m end, 12 m env, 1 m end, 4 m env.
Rgs 17 et 19 : T4D, 1 m env, 12 m end, 1 m env, T4G.
Rg 21 : T4D, 1 m env, 4 m end, T8G, 1 m env, T4G.
Rg 22, 24 et 26 : comme le rg 16.
Rg 23 et 25 : comme le rg 17.
Ces 12 rangs (15 à 26) forment le motif de torsades à répéter encore 4 fois (ou jusqu'à la longueur nécessaire).

Diminution
Rg suiv : T4D, 2 m ens env, T6D, 4 m end, 2 m ens env, T4G. (20 m)
Rg suiv : 4 m env, 1 m end, 10 m env, 1 m end, 4 m env.
Rg suiv : T4D, 2 m ens env, 8 m end, 2 m ens env, T4G. (18 m)
Rg suiv : 4 m env, 1 m end, 8 m env, 1 m end, 4 m env.
Rg suiv : T4D, 2 m ens env, 6 m end, 2 m ens env, T4G. (16 m)
Rg suiv : 4 m env, 1 m end, 6 m env, 1 m

end, 4 m env.
Rg suiv : T4D, (2 m ens env, T4G) x 2 (14 m).
Rg suiv : 4 m env, (1 m end, 4 m env) x 2.
Rg suiv : T4D, 2 m ens env, 2 m end, 2 m ens env, T4G. (12 m)
Rg suiv : 4 m env, 1 m end, 2 m env, 1 m end, 4 m env.
Rg suiv : T4D, (2 m ens env) x 2, T4G. (10 m)
Rg suiv : 4 m env, 2 m end, 4 m env.
Rg suiv : T4D, 2 m env, T4G.
Rg suiv : 4 m env, 2 m end, 4 m env.
Rabattez régulièrement suivant le motif de côtes.

Finitions

Rentrez tous les fils qui dépassent. Superposez les deux extrémités du bandeau d'environ 6 cm (ou selon la taille nécessaire) et marquez la position des deux boutons-pression. Cousez les boutons-pression aux emplacements repérés.

Superposez les deux extrémités à l'arrière et fermez-les avec les boutons-pression. Adaptez la position des boutons-pression pour que le bandeau soit à votre taille.

JOUET POUR MINOU

UNE PIEUVRE COLORÉE aux multiples tentacules saura attirer l'attention de votre chat. Les tentacules sont réalisés sur une bande enroulée et insérée dans le corps. Pour appâter même le plus paresseux des mistigris, vous pouvez ajouter un peu d'herbe à chat séchée dans le rembourrage.

FOURNITURES

Difficulté
Niveau moyen

Taille
Env. 22 cm de haut, hors cordelette

Laine
Une balle d'Adriafil New Zealand Print, 100 g – 200 m ; 75 % laine, 25 % acrylique. Nous avons utilisé le coloris 046 Multicolore vif.

Aiguilles
Un jeu d'aiguilles double pointe 4,5 mm (US 7)
Aiguille auxiliaire

Accessoires
Rembourrage en polyester
Chutes de feutrine noire et blanche ou jaune
Aiguille à coudre
Fil à coudre ou à broder assorti aux feutrines
Aiguille à laine à bout rond

Échantillon
20 m × 25 rgs = 10 cm en jersey, aiguilles 4,5 mm.

RÉALISATION

Tentacules

*Avec deux aiguilles double pointe 4,5 mm, montez 4 m.
Rg 1 : 4 m end, ne tournez pas, mais glissez les m à l'autre extrémité de l'aiguille et changez-la de main.
Répétez le rg 1 encore 39 fois. Coupez le fil et transférez les mailles sur une aiguille auxiliaire.**
Répétez de * à ** encore 15 fois, sans couper le fil après le 16e tentacule.

Bande intérieure

Rg 1 : montez 50 m, tricotez-les à l'endroit, puis tric les 4 m du dernier tentacule, puis toutes les m de l'aiguille auxiliaire. Tournez. (114 m)
Tric 5 rangs à l'endroit et rabattez les m.

Corps

*Avec deux aiguilles double pointe 4,5 mm, montez 36 m en utilisant la méthode tricotée.
En commençant par un rang endroit, tricotez 12 rgs en jersey.
Rg 13 : (4 m end, 2 m ens end) × 6. (30 m)
Rg 14 : toutes les m à l'envers.
Rg 15 : (3 m end, 2 m ens end) × 6. (24 m)
Rg 16 : toutes les m à l'envers.
Rg 17 : (2 m end, 2 m ens end) × 6. (18 m)
Rg 18 : toutes les m à l'envers.
Rg 19 : (1 m end, 2 m ens end) × 6. (12 m)
Rg 20 : (2 m ens env) × 6.
Coupez le fil et utilisez l'aiguille à bout rond pour le passer dans les 6 m restantes.

Cordelette

*Avec deux aiguilles double pointe 4,5 mm, montez 2 m.
Rg 1 : 2 m end, ne tournez pas, mais glissez les m à l'autre extrémité de l'aiguille et changez-la de main.
Répétez le rg 1 encore 59 fois et rabattez les m.

Finitions

En commençant par l'extrémité sans tentacules, enroulez la bande assez serré en la fixant par quelques points de couture au fur et à mesure. Lorsque vous atteignez les tentacules, continuez d'enrouler en utilisant le fil qui dépasse de chaque tentacule pour le fixer au centre et en rentrant ce qui dépasse dans l'épaisseur du tricot.
Cousez le côté du corps. Placez le corps par-dessus la bande intérieure et cousez la bordure de montage au sommet des tentacules sur tout le pourtour.
Insérez un peu de rembourrage dans le trou au sommet du corps, puis passez-y une extrémité de la cordelette de suspension. Serrez le fil passé dans les mailles pour refermer le trou et coincer l'extrémité de la cordelette, puis fixez le tout par quelques points.
Coupez deux disques de feutrine de chaque couleur pour les yeux et fixez-les sur le corps de la pieuvre avec du fil à coudre ou à broder.

BOURSE À L'ANCIENNE

METTEZ VOS PETITES PIÈCES EN SÉCURITÉ dans votre sac grâce à cette élégante bourse. Elle est complètement doublée, aucun objet ne s'en échappera, même le plus petit. Elle est réalisée à partir de deux ronds crochetés et assemblés en bas, puis fixés à un fermoir préfabriqué au sommet. Avec son look alliant rétro et modernité, elle suscitera l'envie de vos amis et de votre grand-mère.

FOURNITURES

Difficulté
Niveau moyen

Taille
10 x 11,5 cm

Laine
Une balle de Phildar Phil Coton 4, 50 g – 85 m ; 100 % coton. Nous avons utilisé le coloris 040 Outremer.

Aiguilles
Crochet 4 mm

Accessoires
Doublure 15 x 25,5 cm
Fermoir à coudre pour porte-monnaie 9 cm
Aiguille à coudre
Fil assorti
Aiguille à laine à bout rond

Échantillon
Le premier tour mesure env. 3,5 cm de diamètre.

Abréviations spécifiques
Nope : 1 jeté, piquez le crochet dans la m, 1 jeté et ramenez une boucle, 1 jeté et ramenez le fil à travers 2 boucles du crochet, (1 jeté, piquez le crochet dans la même m, 1 jeté et ramenez une boucle, 1 jeté et ramenez le fil à travers 2 boucles du crochet) x 3, 1 jeté et ramenez le fil à travers les 6 boucles du crochet.

RÉALISATION

Rond en crochet
À faire en deux exemplaires.
Crochetez 4 ml, 1 mc dans la 1re ml pour former l'anneau.
Tr 1 : 3 ml, (1 nope, 2 ml dans l'anneau), répétez encore 5 fois, fermez par 1 mc dans la 1re nope. (6 nopes et 6 arceaux)
Tr 2 : 3 ml, (1 nope, 2 ml, 1 nope, 2 ml) dans chaque arceau jusqu'à la fin, fermez par 1 mc dans la 1re nope. (12 nopes et 12 arceaux)
Tr 3 : 3 ml, (1 nope, 2 ml, 1 nope, 2 ml dans l'arceau suiv, 1 nope, 2 ml dans l'arceau suiv), répétez jusqu'à la fin, fermez par 1 mc dans la 1re nope. (18 nopes et 18 arceaux)
Tr 4 : 3 ml, 2 br dans le même arceau, 3 br dans chacun des 6 arceaux suiv, 3 ms dans les arceaux restants. (54 m)
Tr 5 : 1 ms dans chaque m jusqu'à la fin. (54 m)
Arrêtez le fil en laissant une longueur suffisante pour la couture.
Assemblez les deux ronds en vérifiant que les brides du 4e tour sont orientées vers le haut, et en laissant 10 cm d'ouverture en haut.

Doublure
Découpez deux disques de doublure mesurant quelques cm de plus que les ronds crochetés. Cousez-les ensemble en laissant un tiers de la circonférence ouverte au sommet. Placez-les à l'intérieur de la bourse, rabattez l'ourlet du sommet à l'arrière et fixez-le par une couture.
Avec du fil assorti, fixez le fermoir en passant dans les perforations le long du bord.
Rentrez les fils qui dépassent en les arrêtant solidement.

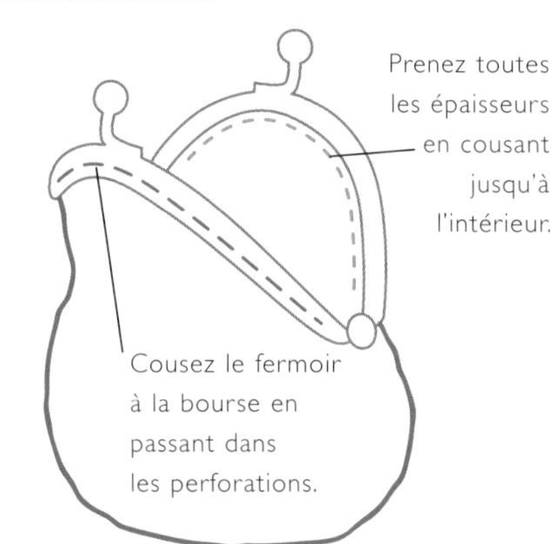

ASTUCE

Cousez la doublure à très petits points pour ne pas risquer de vous prendre les doigts ou les bagues dans les fils quand vous cherchez quelque chose à l'intérieur de la bourse.

ÉCHARPE MÉRINOS

CETTE ÉCHARPE A JUSTE LA BONNE LONGUEUR pour se nouer autour du cou et vous tenir chaud avec élégance. La laine 100 % mérinos que nous avons utilisée est vraiment très douce. Si vous préférez une écharpe plus longue, vous pouvez suivre le modèle avec une balle de laine plus longue, ou tricoter deux balles – on ne le dira à personne !

FOURNITURES

Difficulté
Niveau moyen

Taille
16 x 78 cm

Laine
Une balle de Malabrigo Mecha, 100 g – 120 m ; 100 % mérinos. Nous avons utilisé le coloris 043 Plomo.

Aiguilles
Aiguilles 8 mm (US 11)

Accessoires
Laine épaisse contrastée pour les franges (en option)
Crochet pour les franges et le montage

Échantillon
16 m x 18 rgs = 10 cm suivant le motif, aiguilles 8 mm.

RÉALISATION

Écharpe

Montez 26 m en utilisant la méthode au crochet.

Rg 1 : 3 m end, *1 jeté, 1 ss2, 2 m end ; répétez à partir de * jusqu'aux 3 dernières m, 1 jeté, 1 ss2, 1 m end.

Rg 2 : 3 m env, *1 jeté, 2 m ens env, 2 m env ; répétez à partir de * jusqu'aux 3 dernières m, 1 jeté, 2 m ens env, 1 m env.

Répétez les rangs 1 et 2 jusqu'à ce qu'il ne vous reste presque plus de laine.

Rabattez les mailles.

Pour une écharpe plus longue et plus étroite, montez seulement 18 m.

Franges

Si vous en avez envie, ajoutez des franges à votre écharpe en utilisant des restes de laine épaisse.

Enroulez la laine autour de votre main (sans le pouce) et coupez le fil pour faire 36 brins d'env. 38 cm de long chacun.

Fabriquez six groupes de franges en pliant les brins en deux par groupes de trois.

En insérant un crochet à travers une des mailles de la bordure, tirez une boucle vers l'arrière. Passez les extrémités des brins à travers cette boucle et serrez.

ASTUCE

Gardez une tension régulière d'un rang à l'autre, en particulier pour le premier et le dernier point, afin que l'écharpe reste bien plate.

TECHNIQUES

LES OUTILS DU MÉTIER

IL N'Y A AUCUNE LIMITE À LA DIVERSITÉ des accessoires disponibles pour tricoter et crocheter : vous trouverez à coup sûr ceux qui conviendront à vos goûts et à votre budget, depuis les aiguilles et crochets les plus simples jusqu'au véritable sur-mesure. Voici une sélection du matériel de base dont vous aurez besoin pour réaliser les projets de ce livre. N'oubliez pas de lire la section « Fournitures » de chaque modèle avant de commencer, pour vérifier que vous avez tout ce qu'il vous faut.

BOUTONS-PRESSION

Utiles pour fermer une pièce sans devoir créer une boutonnière.

COMPTE-RANGS

Placez-le au bout d'une aiguille et faites-le avancer à la fin de chaque rang.

LAINE

Le choix est pratiquement illimité. Choisissez une laine de la bonne épaisseur pour votre modèle.

CISEAUX

Gardez à portée de main une paire de ciseaux de bonne qualité, bien aiguisés, pour couper la laine et les fils qui dépassent.

ANNEAUX MARQUEURS

AIGUILLE CIRCULAIRE

Un câble flexible unit deux aiguilles pour tricoter en rond. Disponible en différentes longueurs.

CROCHETS

Il existe des crochets de différents matériaux et différentes tailles. Faites votre choix !

ARRÊTE-MAILLES

Glissez votre ouvrage sur un arrête-mailles. Lorsque vous n'y travaillez pas, cela le protège.

RUBAN À MESURER

AIGUILLES À TRICOTER

Disponibles dans divers matériaux, choisissez la bonne taille et les plus confortables pour vous.

AIGUILLE À BOUT ROND

Sa pointe arrondie évite d'endommager la laine lorsque vous rentrez les fils qui dépassent ou que vous faites les coutures.

AIGUILLE À COUDRE

ÉPINGLES

AIGUILLES DOUBLE POINTE

AIGUILLES À TORSADES

TRICOT

LES TECHNIQUES PRÉSENTÉES ICI vous aideront à réaliser vos modèles, si vous avez besoin de réviser en cas de trou de mémoire. Vous y trouverez également les principales abréviations utilisées.

MONTER LES MAILLES

MONTAGE SIMPLE (à mailles glissées)

1 Tenez l'aiguille avec le nœud coulant dans la main droite. Enroulez le fil autour du pouce gauche comme indiqué sur l'illustration et maintenez-le en place dans la paume de la main gauche.

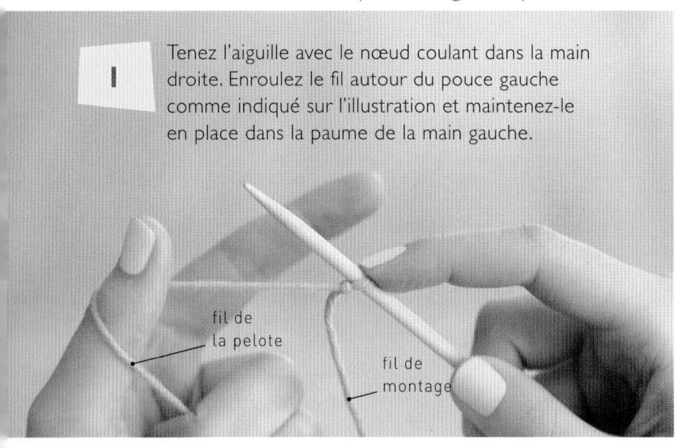

2 Insérez l'aiguille sous le fil et remontez dans la boucle le long du pouce. Sortez le pouce de la boucle et tirez le fil pour resserrer la maille qui est maintenant sur l'aiguille, en la faisant glisser vers le nœud coulant.

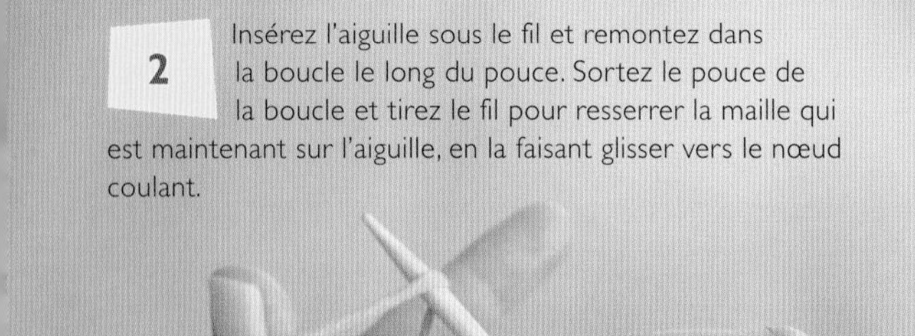

3 Enroulez à nouveau le fil autour du pouce et continuez à former des boucles sur l'aiguille jusqu'à ce que vous ayez le nombre de mailles requis.

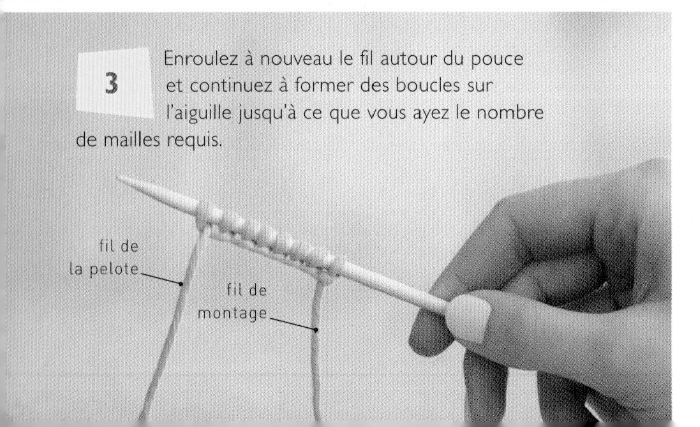

MONTAGE TRICOTÉ

1 Tenez l'aiguille avec le nœud coulant dans la main gauche. Tricotez la 1re maille et passez la maille obtenue sur l'aiguille gauche. Insérez l'aiguille droite entre les 2 mailles, enroulez le fil autour de l'aiguille droite comme indiqué par la flèche.

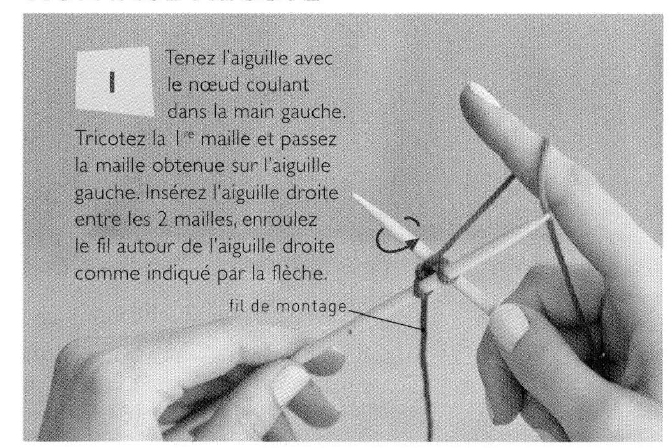

2 Ramenez la boucle ainsi formée avec la pointe de l'aiguille droite.

3 Transférez cette boucle en insérant l'aiguille gauche de droite à gauche dans l'avant de la maille. Continuez à monter des mailles en piquant toujours l'aiguille droite entre les deux premières mailles de l'aiguille gauche.

MONTAGE CLASSIQUE

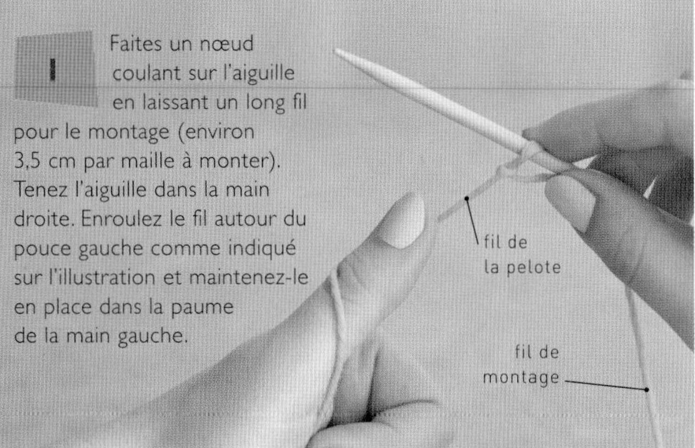

1 Faites un nœud coulant sur l'aiguille en laissant un long fil pour le montage (environ 3,5 cm par maille à monter). Tenez l'aiguille dans la main droite. Enroulez le fil autour du pouce gauche comme indiqué sur l'illustration et maintenez-le en place dans la paume de la main gauche.

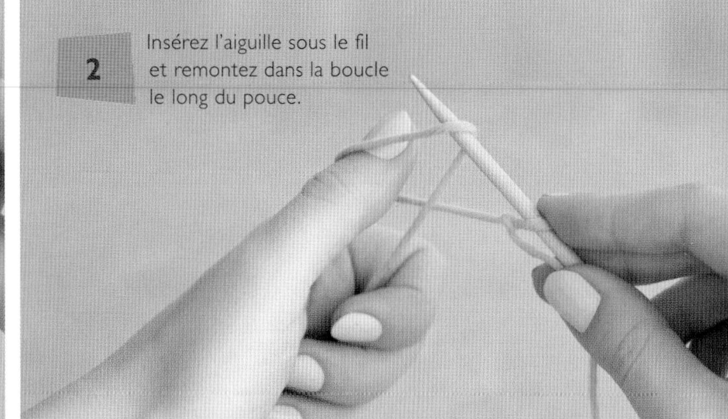

2 Insérez l'aiguille sous le fil et remontez dans la boucle le long du pouce.

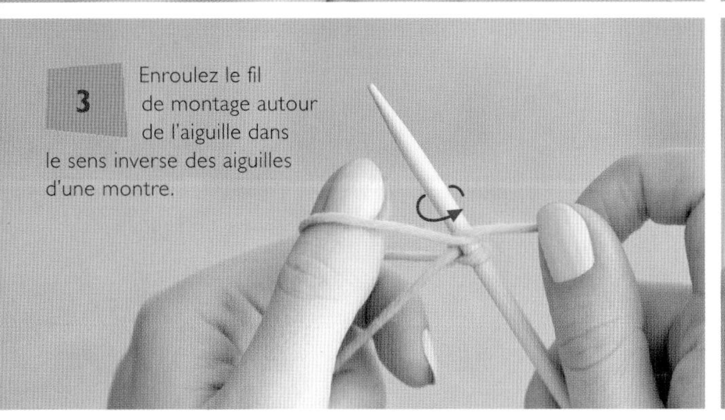

3 Enroulez le fil de montage autour de l'aiguille dans le sens inverse des aiguilles d'une montre.

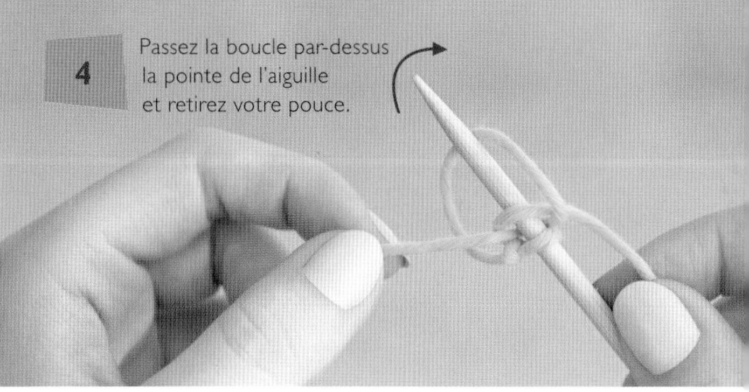

4 Passez la boucle par-dessus la pointe de l'aiguille et retirez votre pouce.

5 Tirez les deux fils pour resserrer la nouvelle maille sur l'aiguille, en la faisant glisser vers le nœud coulant.

6 Enroulez à nouveau le fil de la pelote autour de votre pouce et montez une nouvelle maille, puis continuez jusqu'à obtenir le nombre de mailles requis.

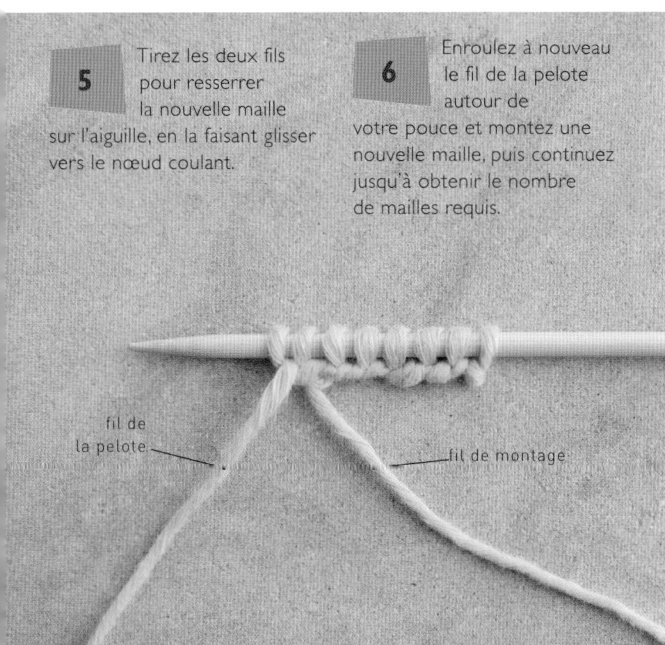

MONTAGE AU CROCHET

1 Faites un nœud coulant autour du crochet. Tenez le fil et l'aiguille à tricoter dans la main gauche, et le crochet dans la main droite. Prenez le fil derrière l'aiguille et passez-le autour de votre index gauche. Croisez l'aiguille et le crochet, en tenant le crochet devant.

2 Attrapez le fil avec le crochet en le passant avec l'index gauche. Tirez le fil à travers le nœud coulant. Il formera une boucle autour de l'aiguille. Repassez le fil derrière l'aiguille et continuez à former des boucles de la même manière jusqu'à avoir le nombre de mailles requis.

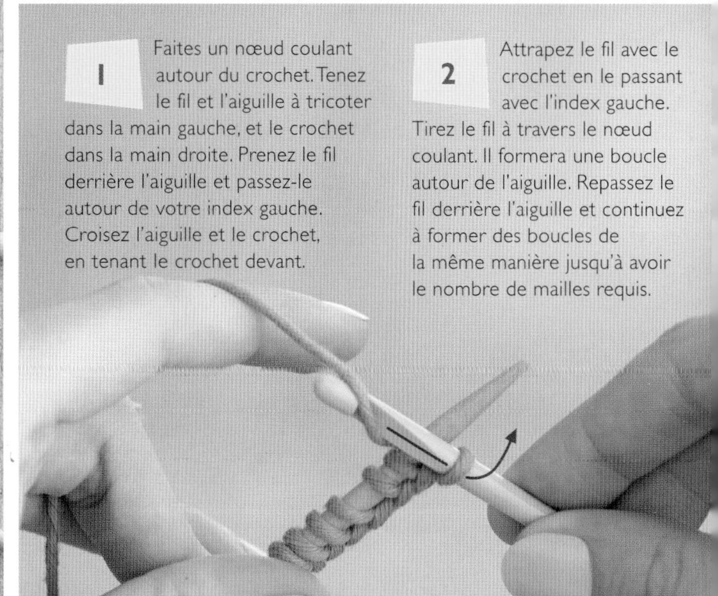

RABATTRE LES MAILLES

RABATTRE SUR L'ENDROIT

1 Tricotez les 2 premières mailles à l'endroit. Ensuite, piquez l'aiguille gauche, de gauche à droite, dans la 1re maille tricotée, et faites passer celle-ci sur la 2e maille.

2 Faites sortir cette maille de l'aiguille droite. Pour continuer, tricotez encore une maille, et répétez l'étape 1. Si votre modèle vous demande de « rabattre suivant le motif », tricotez les mailles comme indiqué (à l'envers ou à l'endroit) avant de les rabattre.

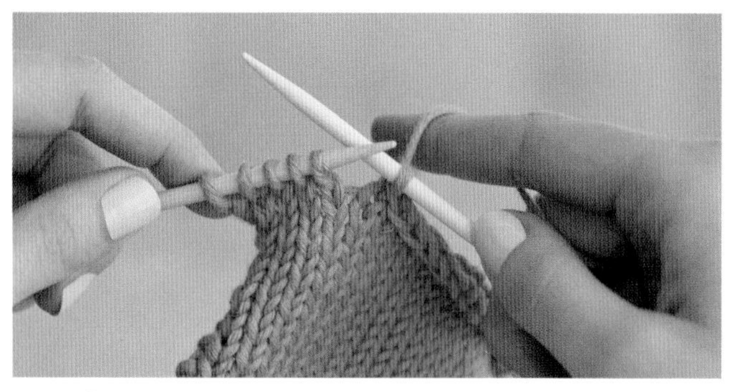

3 Continuez jusqu'à ce qu'il ne reste qu'une seule maille sur l'aiguille droite. Pour empêcher cette maille de se défaire, coupez le fil en laissant assez de longueur pour le rentrer plus tard, passez le bout à travers la dernière boucle et serrez. C'est ce qu'on appelle « arrêter » la maille.

RABATTRE SUR L'ENVERS

1 Tricotez les 2 premières mailles à l'envers. Piquez la pointe de l'aiguille gauche de gauche à droite dans la 1re maille tricotée, et faites passer celle-ci sur la 2e maille en la laissant sortir de l'aiguille.

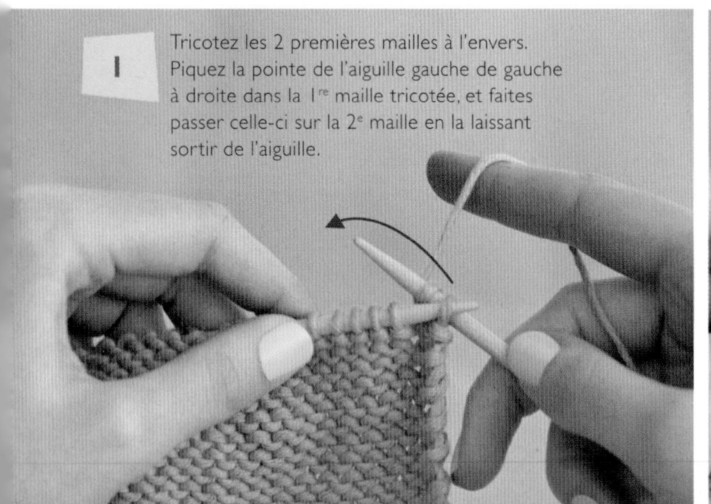

2 Répétez l'étape 1 en tricotant une maille à la fois jusqu'à la fin du rang. Arrêtez la dernière maille.

MAILLES À L'ENDROIT ET MAILLES À L'ENVERS

Voici les deux points de base : la maille à l'endroit et la maille à l'envers. Les exemples ci-après sont montrés en jersey endroit. La maille à l'envers peut être un peu plus difficile au début, mais un peu d'entraînement suffit à la maîtriser.

MAILLE À L'ENDROIT (abréviation : m end)

1 Tenez l'aiguille avec les mailles à tricoter dans la main gauche, et l'autre aiguille dans la main droite. Avec le fil sur l'arrière de l'ouvrage, piquez l'aiguille droite, de gauche à droite, dans le brin avant de la 1re maille de l'aiguille gauche.

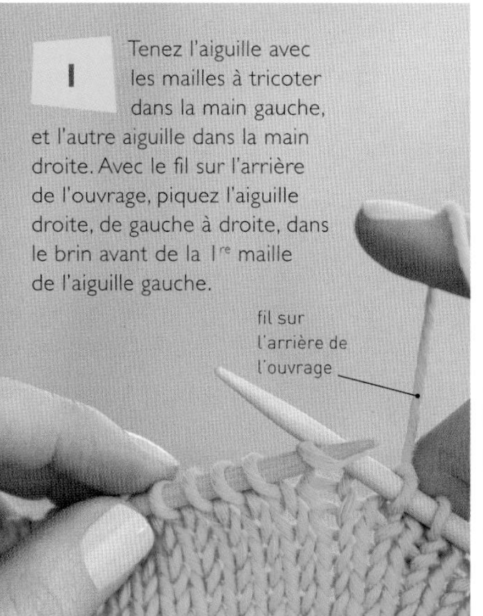

2 Passez le fil sous l'aiguille droite puis enroulez-le autour, en le laissant glisser entre vos doigts avec une tension régulière.

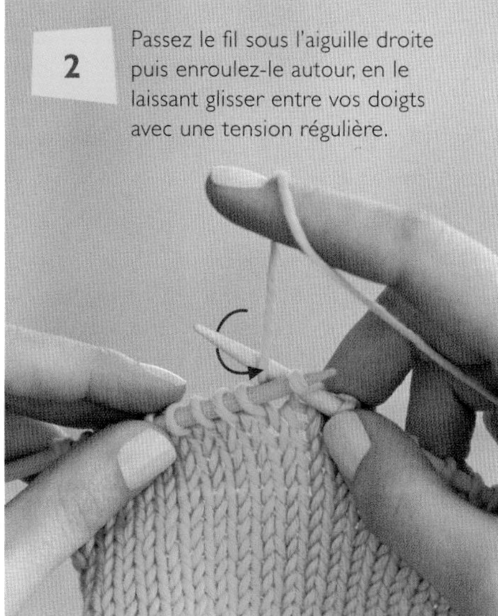

3 Avec l'aiguille droite, ramenez le fil à travers la maille de l'aiguille gauche. Laissez glisser cette maille de l'aiguille gauche pour avoir la maille tricotée sur l'aiguille droite.

MAILLE À L'ENVERS (abréviation : m env)

1 Avec le fil sur le devant de l'ouvrage, piquez l'aiguille droite, de droite à gauche, dans la maille à tricoter sur l'aiguille gauche.

2 Passez le fil par-dessus l'aiguille droite, puis enroulez-le autour, en le laissant glisser entre vos doigts avec une tension régulière.

3 Avec l'aiguille droite, ramenez le fil à travers la maille de l'aiguille gauche. Gardez les mains détendues. Laissez glisser la maille de l'aiguille gauche pour avoir la maille tricotée sur l'aiguille droite.

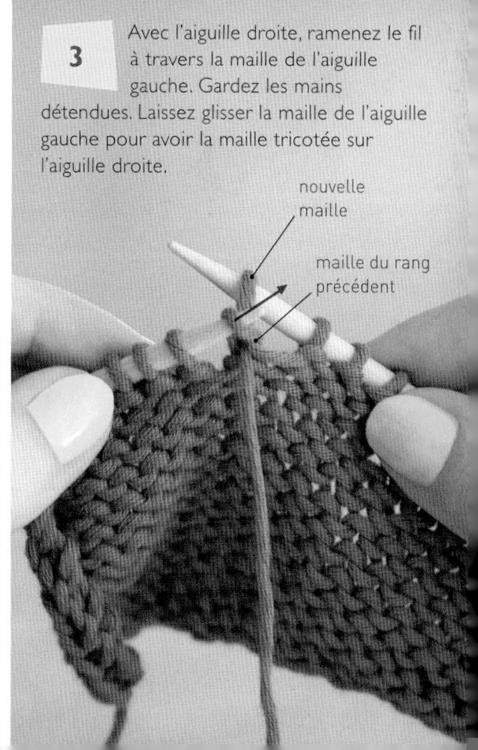

MÉTHODE CONTINENTALE

Elle est également appelée méthode « à l'allemande ». On tient le fil à tricoter avec la main gauche au lieu de la droite, et la réalisation des points de base est légèrement différente de la méthode la plus courante en France. Si vous l'utilisez déjà, vous pouvez vous référer aux explications qui suivent en cas de besoin.

TENIR LE FIL DANS LE STYLE « CONTINENTAL »

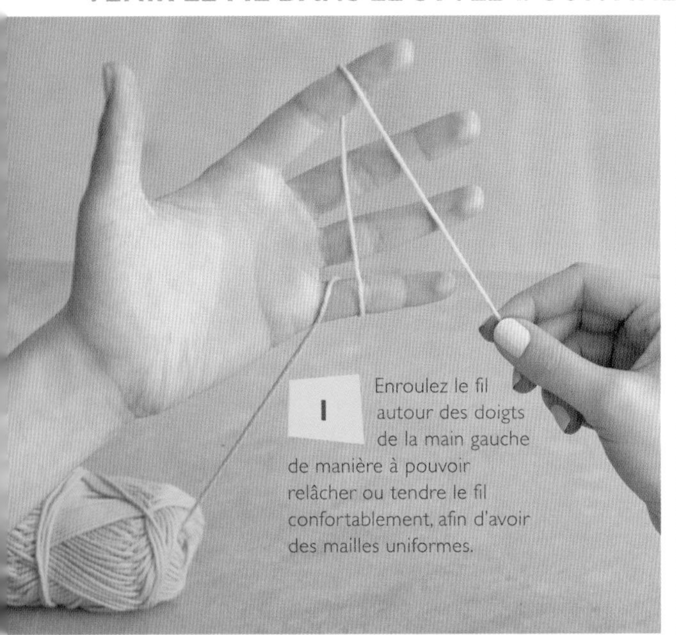

1 Enroulez le fil autour des doigts de la main gauche de manière à pouvoir relâcher ou tendre le fil confortablement, afin d'avoir des mailles uniformes.

2 Tenez l'aiguille avec les mailles à tricoter dans la main gauche, et l'autre aiguille dans la main droite. Positionnez le fil à l'aide de l'index gauche et ramenez-le à travers les mailles avec la pointe de l'aiguille droite.

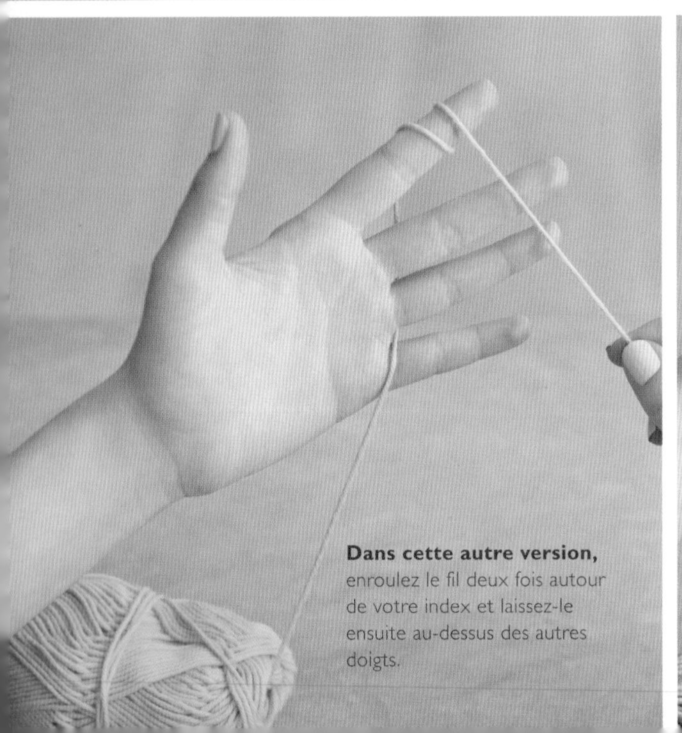

Dans cette autre version, enroulez le fil deux fois autour de votre index et laissez-le ensuite au-dessus des autres doigts.

Pour les mailles à l'endroit et à l'envers, enroulez le fil autour de votre petit doigt, mais laissez-le passer au-dessus de vos autres doigts, c'est plus facile pour les mailles à l'envers.

MAILLE À L'ENDROIT, MÉTHODE CONTINENTALE

Levez votre index avec le fil qui passe par-dessus et utilisez votre majeur pour maintenir le fil contre l'aiguille gauche, un peu à l'avant des mailles.

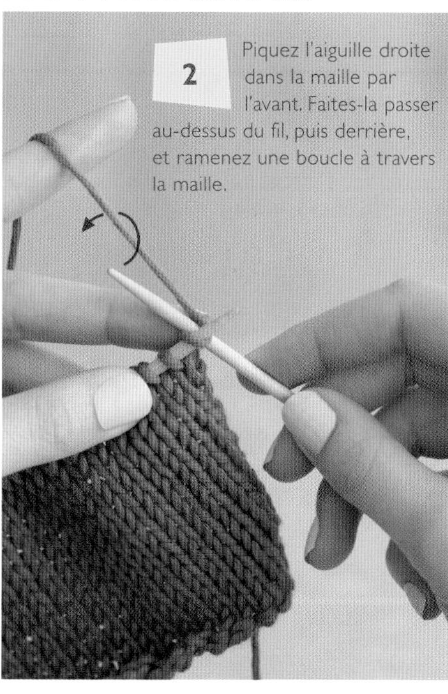

Piquez l'aiguille droite dans la maille par l'avant. Faites-la passer au-dessus du fil, puis derrière, et ramenez une boucle à travers la maille.

Laissez glisser la maille du rang précédent hors de l'aiguille gauche. À la fin du rang, conservez le fil enroulé autour de votre main gauche, échangez les aiguilles pour commencer le rang suivant.

MAILLE À L'ENVERS, MÉTHODE CONTINENTALE

Amenez le fil sur le devant de l'ouvrage. Avec l'index gauche levé et le majeur appuyé sur l'aiguille gauche près de la pointe, piquez l'aiguille droite dans la première maille par devant.

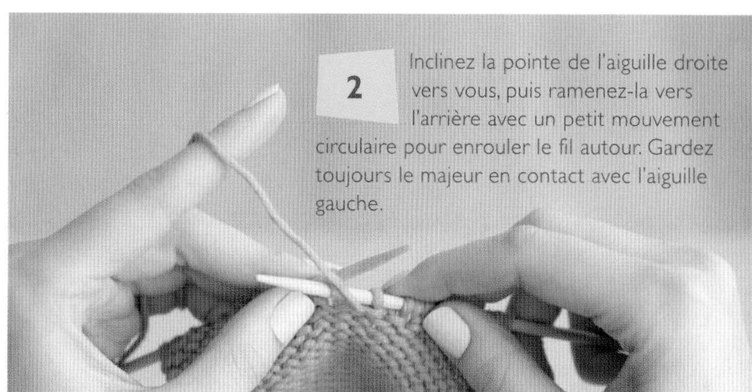

Inclinez la pointe de l'aiguille droite vers vous, puis ramenez-la vers l'arrière avec un petit mouvement circulaire pour enrouler le fil autour. Gardez toujours le majeur en contact avec l'aiguille gauche.

Simultanément, abaissez votre index gauche vers l'avant pour que le fil s'enroule autour de l'aiguille. Inclinez immédiatement l'aiguille droite vers l'arrière pour former la boucle.

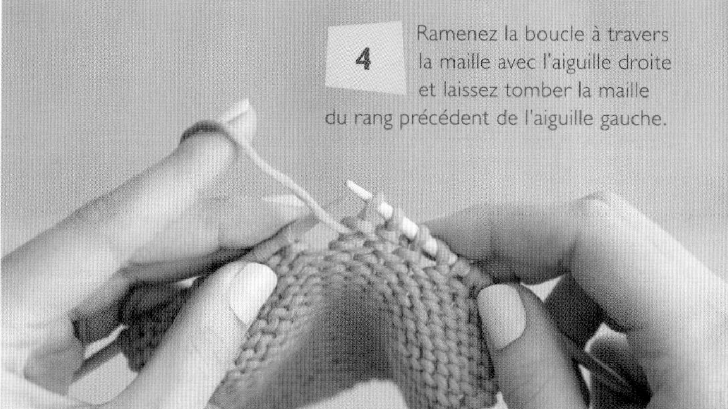

Ramenez la boucle à travers la maille avec l'aiguille droite et laissez tomber la maille du rang précédent de l'aiguille gauche.

POINT MOUSSE

Toutes les mailles à l'endroit : c'est le point le plus facile en tricot à plat, car tous les rangs sont tricotés à l'endroit. Les deux faces sont identiques. Le tricot est doux, texturé, et légèrement extensible. Il faut plus de rangs qu'en jersey (ci-dessous) pour obtenir la même hauteur.

CÔTES 1/1

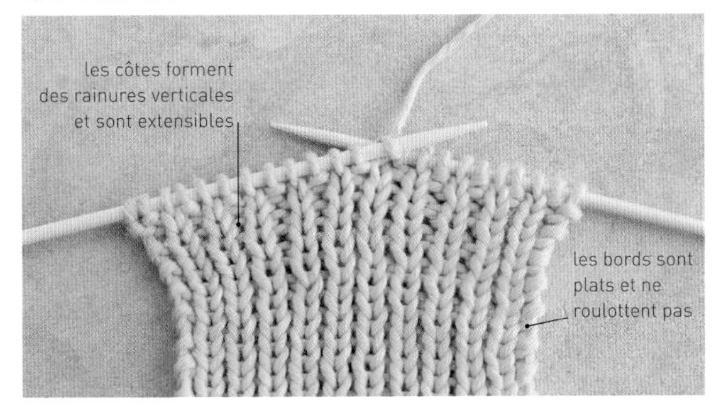

Alterner maille endroit et maille envers : les côtes 1/1 sont formées en tricotant alternativement une maille à l'endroit et une maille à l'envers sur tout le rang. Après avoir tricoté une maille à l'endroit, ramenez le fil sur le devant entre les aiguilles pour tricoter la maille à l'envers. Après celle-ci, repassez le fil vers l'arrière entre les aiguilles pour tricoter la maille suivante à l'endroit. Sur les rangs envers, tricoter à l'endroit toutes les mailles endroit, et à l'envers toutes les mailles envers.

JERSEY

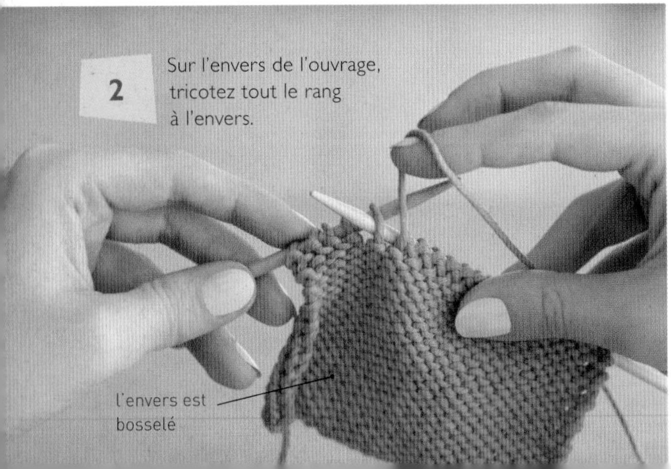

MAILLE TORSE (tricoter par le brin arrière ; abréviation : mt)

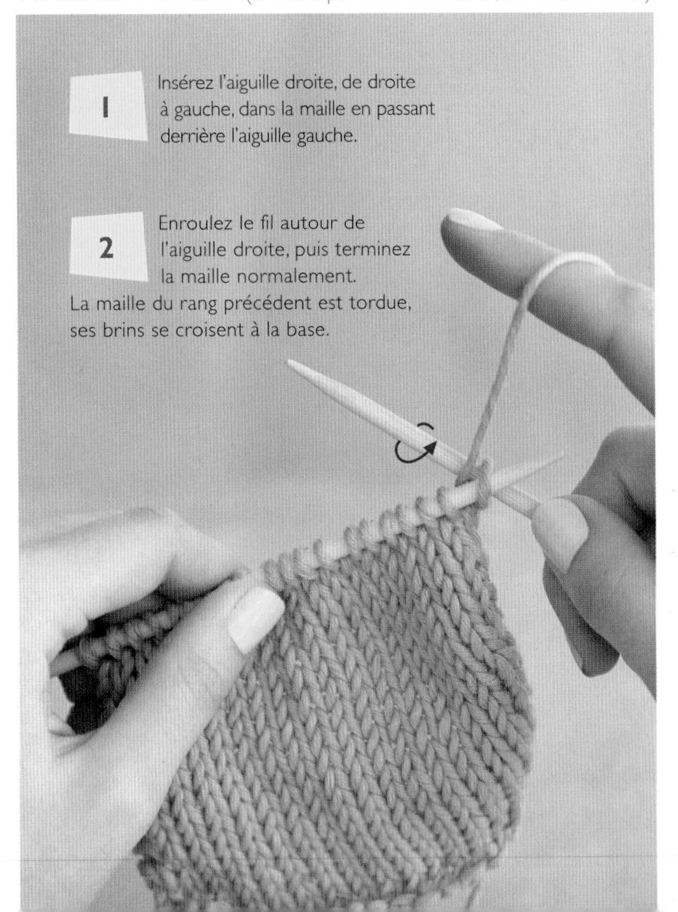

GLISSER DES MAILLES À L'ENVERS

(abréviation : gl1)

1 Sauf instruction contraire, glissez toujours les mailles comme pour les tricoter à l'envers. Piquez l'aiguille droite, de droite à gauche, dans l'avant de la maille de l'aiguille gauche.

2 Faites glisser la maille sur l'aiguille droite sans la tricoter et retirez l'aiguille gauche.

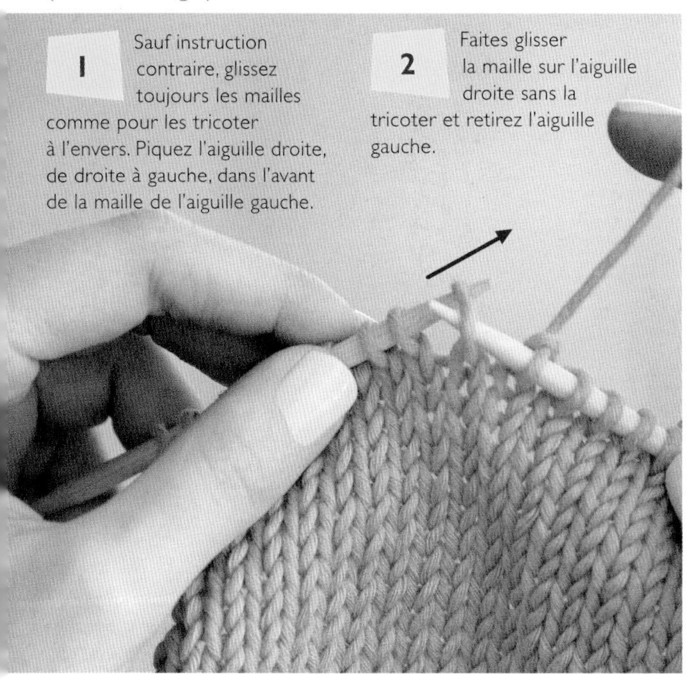

GLISSER DES MAILLES À L'ENDROIT

(abréviation : gl1end)

1 Ne glissez les mailles comme pour les tricoter à l'endroit que si les instructions le précisent ou pour une diminution, car cela tord les mailles. Piquez l'aiguille droite, de gauche à droite, dans l'avant de la maille de l'aiguille gauche.

2 Faites glisser la maille sur l'aiguille droite sans la tricoter et retirez l'aiguille gauche. La maille glissée est sur l'aiguille droite, avec le brin de gauche sur l'avant.

AUGMENTATIONS

AUGMENTATION À GAUCHE SUR UN RANG ENDROIT (abréviation : aug1 ou aug1end)

1 Piquez l'aiguille gauche de l'avant vers l'arrière sous le brin horizontal entre la maille qui vient d'être tricotée et la suivante.

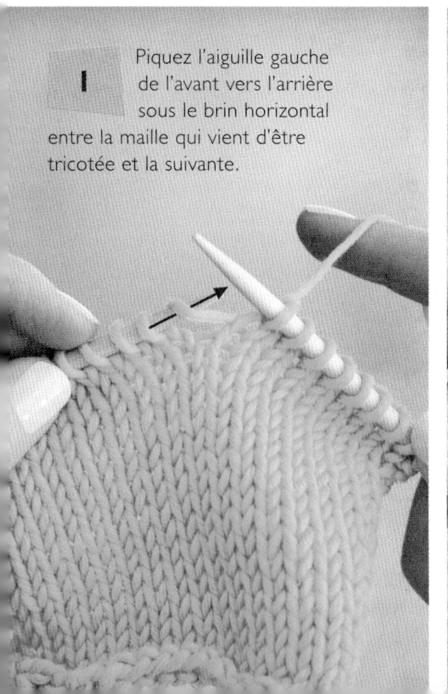

2 Piquez l'aiguille droite sous ce brin horizontal de droite à gauche et passez-la derrière l'aiguille gauche.

3 Enroulez le fil autour de l'aiguille droite et tirez la boucle sous le brin relevé. Vous avez une maille supplémentaire dans le rang.

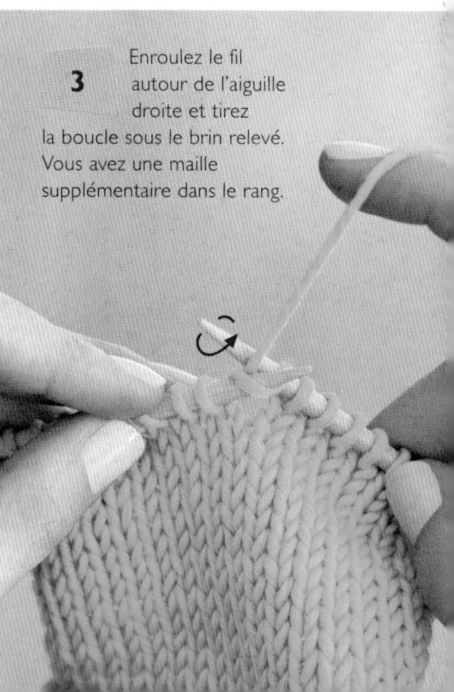

AUGMENTATION SUR UN RANG ENVERS (abréviation : aug1 ou aug1env)

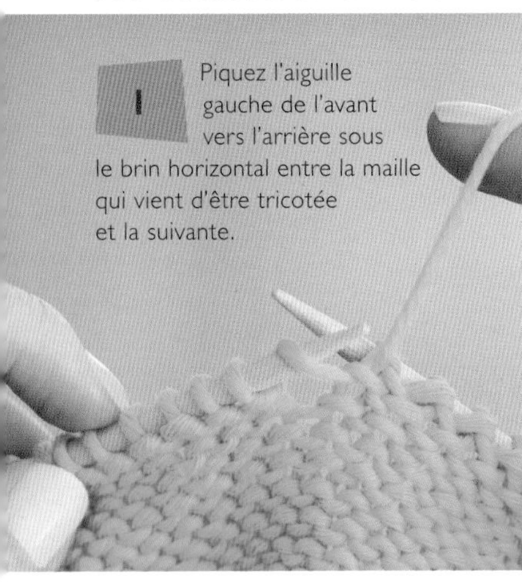

1 Piquez l'aiguille gauche de l'avant vers l'arrière sous le brin horizontal entre la maille qui vient d'être tricotée et la suivante.

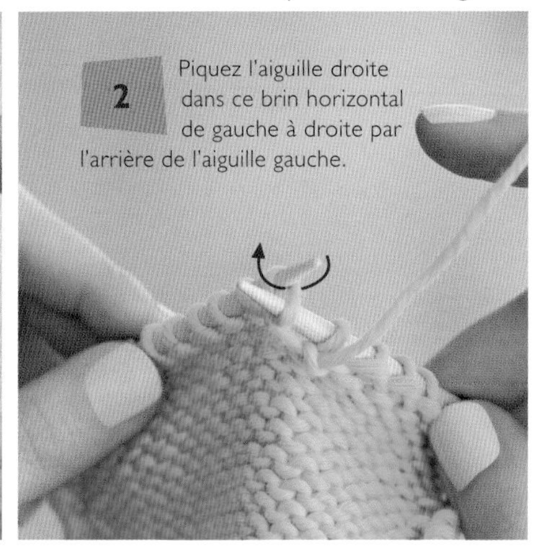

2 Piquez l'aiguille droite dans ce brin horizontal de gauche à droite par l'arrière de l'aiguille gauche.

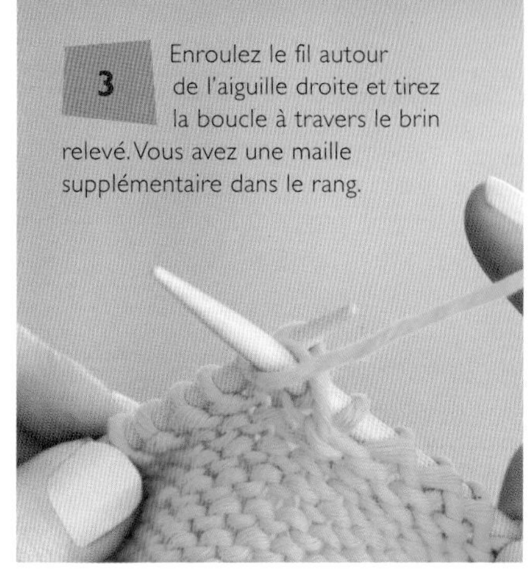

3 Enroulez le fil autour de l'aiguille droite et tirez la boucle à travers le brin relevé. Vous avez une maille supplémentaire dans le rang.

AUGMENTATIONS MULTIPLES (abréviation : aug2)

C'est une augmentation très simple à réaliser si vous avez besoin d'ajouter plusieurs mailles à une maille existante, mais elle crée un petit trou sous les nouvelles mailles.

1 Pour créer l'augmentation, tricotez la maille à l'endroit, mais sans la laisser tomber de l'aiguille gauche.

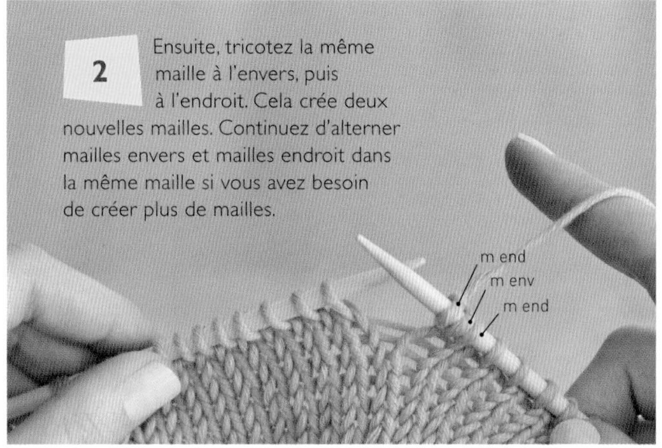

2 Ensuite, tricotez la même maille à l'envers, puis à l'endroit. Cela crée deux nouvelles mailles. Continuez d'alterner mailles envers et mailles endroit dans la même maille si vous avez besoin de créer plus de mailles.

JETÉ ENTRE 2 MAILLES À L'ENDROIT (abréviation : 1 jeté)

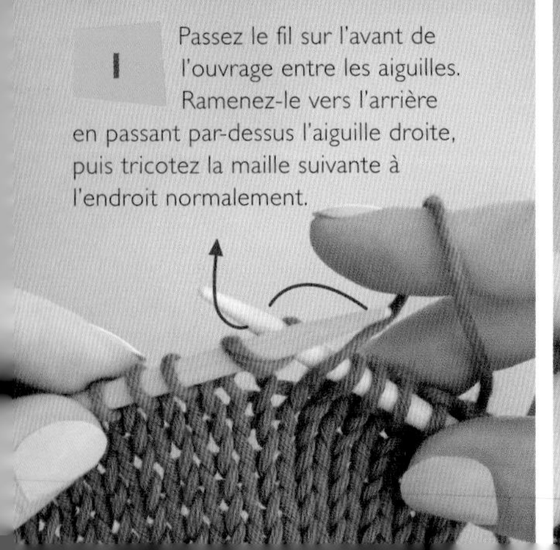

1 Passez le fil sur l'avant de l'ouvrage entre les aiguilles. Ramenez-le vers l'arrière en passant par-dessus l'aiguille droite, puis tricotez la maille suivante à l'endroit normalement.

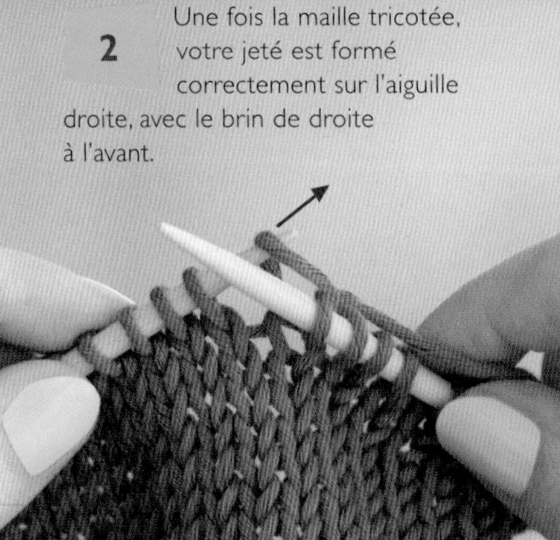

2 Une fois la maille tricotée, votre jeté est formé correctement sur l'aiguille droite, avec le brin de droite à l'avant.

3 Au rang suivant, lorsque vous atteignez le jeté, tricotez-le à l'envers normalement. Cela crée un trou sous la maille envers.

JETÉ ENTRE 2 MAILLES À L'ENVERS (abréviation : 1 jeté)

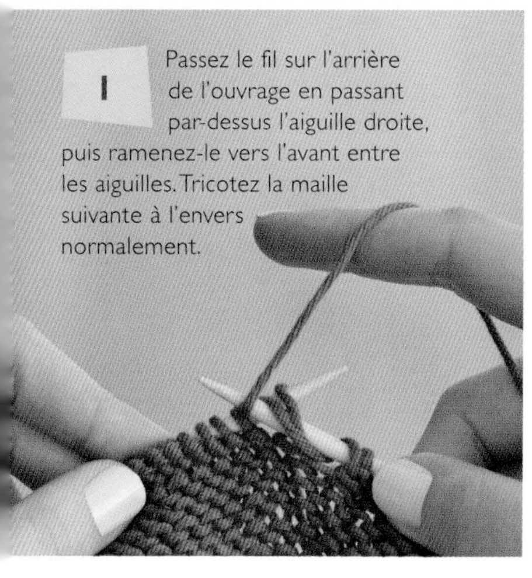

1 Passez le fil sur l'arrière de l'ouvrage en passant par-dessus l'aiguille droite, puis ramenez-le vers l'avant entre les aiguilles. Tricotez la maille suivante à l'envers normalement.

2 Une fois la maille tricotée, votre jeté est formé correctement sur l'aiguille droite, avec le brin de droite à l'avant.

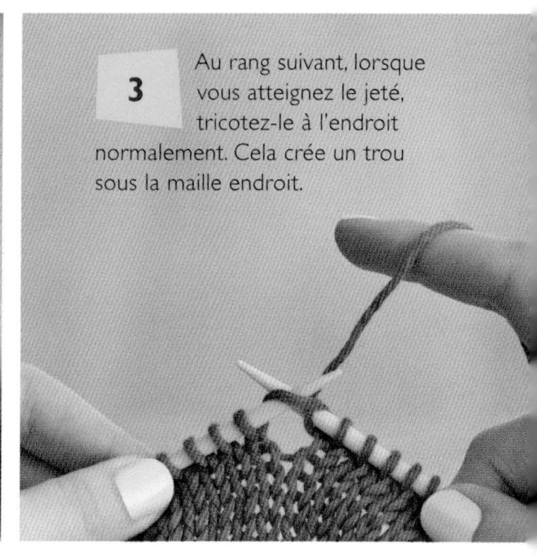

3 Au rang suivant, lorsque vous atteignez le jeté, tricotez-le à l'endroit normalement. Cela crée un trou sous la maille endroit.

DIMINUTIONS

2 MAILLES ENDROIT TRICOTÉES ENSEMBLE (abréviation : 2 m ens end)

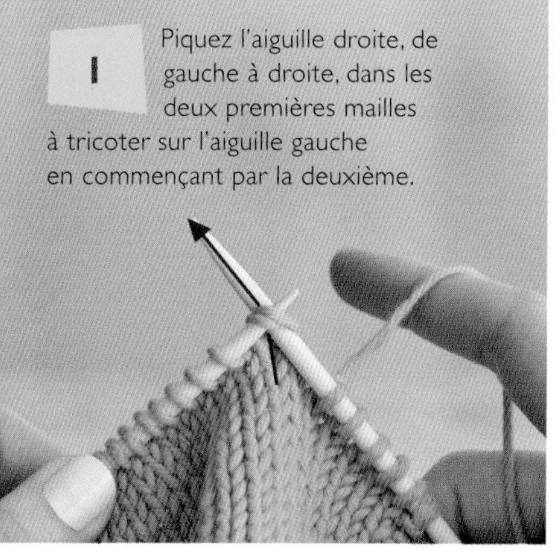

1 Piquez l'aiguille droite, de gauche à droite, dans les deux premières mailles à tricoter sur l'aiguille gauche en commençant par la deuxième.

2 Enroulez le fil autour de l'aiguille droite, ramenez une boucle à travers les deux mailles et laissez-les glisser de l'aiguille gauche.

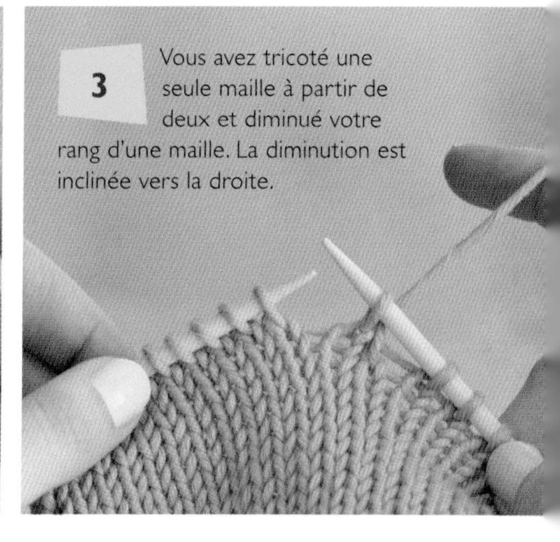

3 Vous avez tricoté une seule maille à partir de deux et diminué votre rang d'une maille. La diminution est inclinée vers la droite.

2 MAILLES ENVERS TRICOTÉES ENSEMBLE (abréviation : 2 m ens env)

1 Piquez l'aiguille droite, de droite à gauche, dans les deux premières mailles à tricoter sur l'aiguille gauche.

2 Enroulez le fil autour de l'aiguille droite, ramenez une boucle à travers les deux mailles et laissez-les glisser de l'aiguille gauche.

3 Vous avez tricoté une seule maille à partir de deux et diminué votre rang d'une maille.

SURJET SIMPLE (variante 1 : « glisser 1 m, glisser 1 m, tricoter les 2 m ens » ; abréviation : ss1)

SURJET SIMPLE (variante 2 : « glisser 1 m, tricoter 1 m, rabattre la m glissée » ; abréviation : ss2)

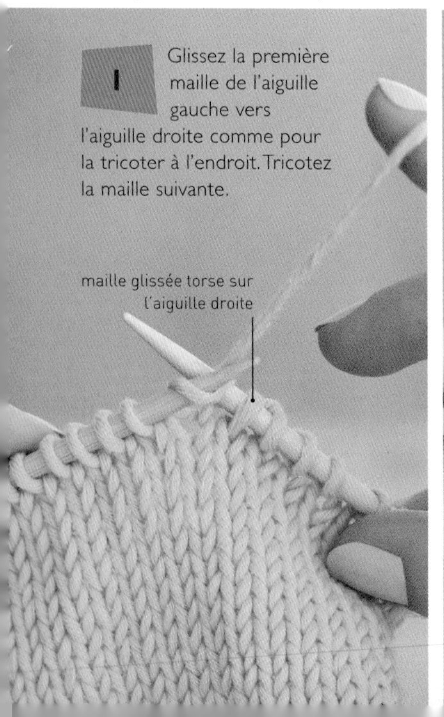

3 MAILLES ENDROIT TRICOTÉES ENSEMBLE
(abréviation : 3 m ens end)

1 Piquez l'aiguille droite, de gauche à droite, dans les trois premières mailles à tricoter sur l'aiguille gauche en commençant par la troisième. Tricotez ces trois mailles ensemble à l'endroit. Vous avez diminué votre rang de deux mailles d'un coup.

3 MAILLES ENVERS TRICOTÉES ENSEMBLE
(abréviation : 3 m ens env)

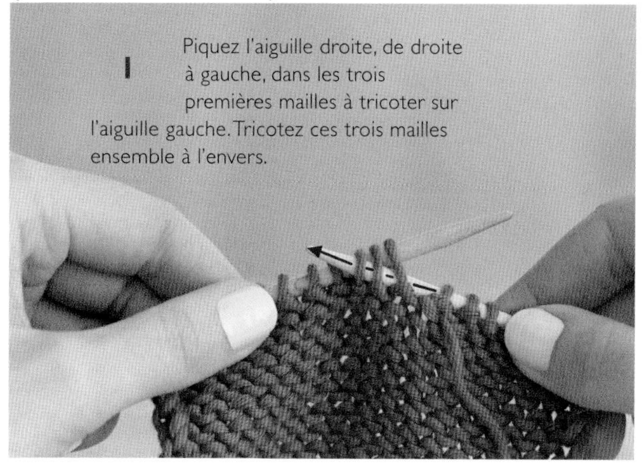

1 Piquez l'aiguille droite, de droite à gauche, dans les trois premières mailles à tricoter sur l'aiguille gauche. Tricotez ces trois mailles ensemble à l'envers.

TRICOTER AVEC UNE AIGUILLE CIRCULAIRE

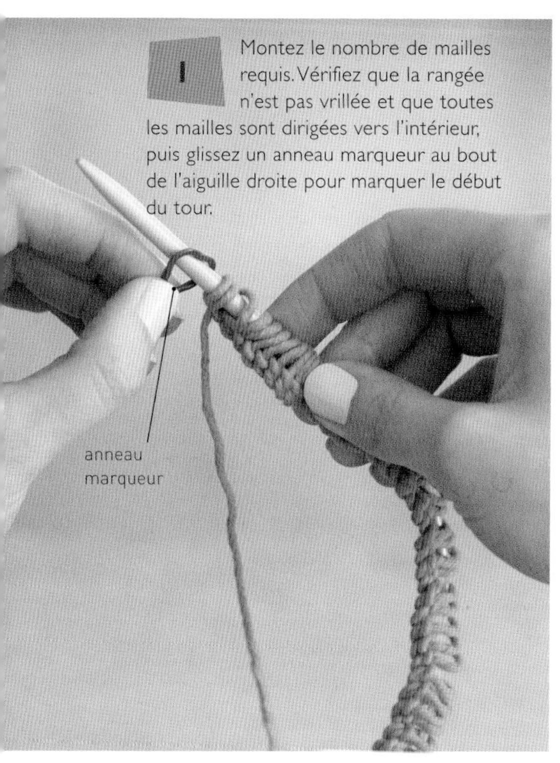

1 Montez le nombre de mailles requis. Vérifiez que la rangée n'est pas vrillée et que toutes les mailles sont dirigées vers l'intérieur, puis glissez un anneau marqueur au bout de l'aiguille droite pour marquer le début du tour.

Si vous réalisez un tube en jersey sur une aiguille circulaire, vous aurez toujours l'endroit de l'ouvrage face à vous et vous tricoterez tous les tours à l'endroit.

2 Prenez les deux aiguilles pour tricoter la première maille de l'aiguille gauche et fermer le cercle. Tricotez toutes les mailles normalement. Lorsque vous atteignez l'anneau marqueur, glissez-le de l'aiguille gauche à l'aiguille droite.

TORSADES

On réalise généralement les torsades en jersey endroit sur un fond en jersey envers (ou en point mousse). Pour cela, on croise deux, trois, quatre mailles ou plus sur d'autres mailles du rang. Cette technique est illustrée ici par une torsade à quatre mailles, à gauche et à droite. Le principe reste le même, quel que soit le nombre de mailles à croiser.

TORSADE DE 4 MAILLES À GAUCHE (abréviation : T4G)

1 Tricotez jusqu'à la position des 4 mailles de jersey endroit qui forment la torsade, et glissez les 2 1res mailles sur une aiguille auxiliaire (aiguille à torsade ou double pointe). En tenant l'aiguille auxiliaire devant l'ouvrage, tricotez à l'endroit les 2 mailles suivantes de l'aiguille gauche.

2 Ensuite, tricotez à l'endroit les deux mailles de l'aiguille auxiliaire.

3 Vous obtenez une torsade croisée vers la gauche.

TORSADE DE 4 MAILLES À DROITE (abréviation : T4D)

1 Procédez comme à l'étape 1 de la torsade à gauche, mais placez l'aiguille auxiliaire derrière l'ouvrage.

2 Tricotez à l'endroit les deux mailles suivantes de l'aiguille gauche.

3 Ensuite, tricotez à l'endroit les deux mailles de l'aiguille auxiliaire. Vous obtenez une torsade croisée vers la droite.

CROCHET

LES TECHNIQUES PRÉSENTÉES ICI vous aideront à réaliser les modèles de ce livre. Il n'y a que quelques points de base à maîtriser. N'oubliez pas : c'est en forgeant que l'on devient forgeron !

CHAÎNETTE DE BASE, MAILLES EN L'AIR (abréviation : ml)

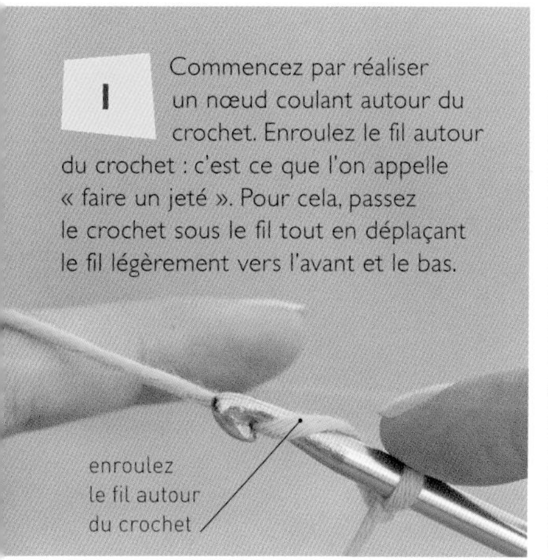

1 Commencez par réaliser un nœud coulant autour du crochet. Enroulez le fil autour du crochet : c'est ce que l'on appelle « faire un jeté ». Pour cela, passez le crochet sous le fil tout en déplaçant le fil légèrement vers l'avant et le bas.

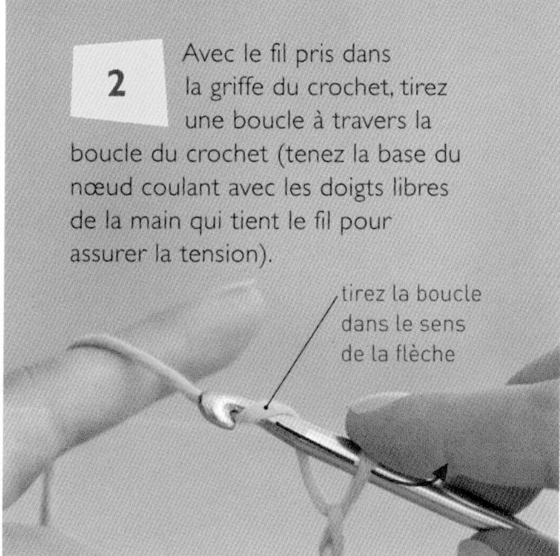

2 Avec le fil pris dans la griffe du crochet, tirez une boucle à travers la boucle du crochet (tenez la base du nœud coulant avec les doigts libres de la main qui tient le fil pour assurer la tension).

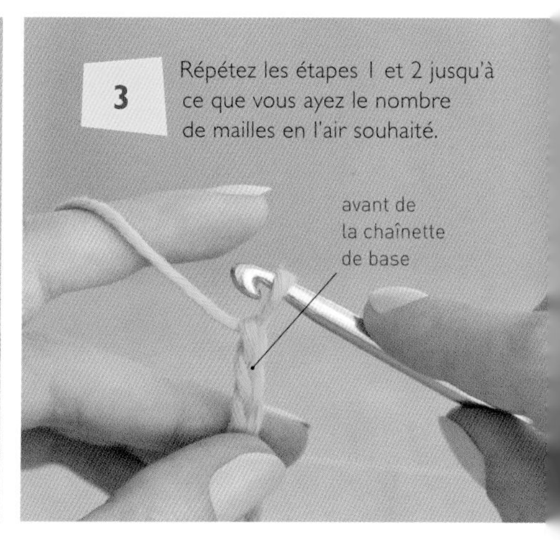

3 Répétez les étapes 1 et 2 jusqu'à ce que vous ayez le nombre de mailles en l'air souhaité.

COMPTER LES MAILLES EN L'AIR

Comptez correctement : tout en montant les mailles en l'air de la chaînette de base, comptez-les au fur et à mesure jusqu'à ce que vous ayez le nombre requis. Puis, avant de commencer le modèle, recomptez-les pour vérifier que vous avez bien monté le nombre correct. Pour cela, en regardant l'avant de la chaînette de base, commencez à compter à partir de la base du crochet et vers la gauche.

MAILLE COULÉE (abréviation : mc)

1 Commencez par réaliser une chaînette de base de la longueur souhaitée. Pour crocheter la 1re maille coulée, piquez le crochet dans la 2e maille en l'air de la chaînette (comptez à partir du crochet). Vous devez avoir un seul brin de cette maille en l'air sur le crochet.

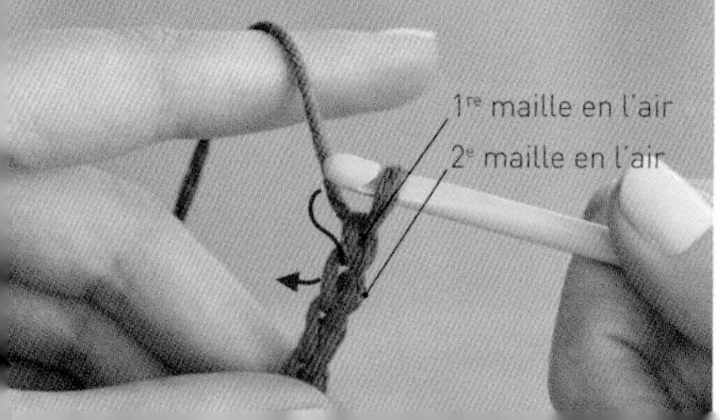

2 Enroulez le fil autour du crochet (1 jeté). Maintenez la chaînette de base en place avec la main gauche et gardez le fil tendu. Avec le crochet, ramenez le fil à travers les deux boucles du crochet en direction de la flèche.

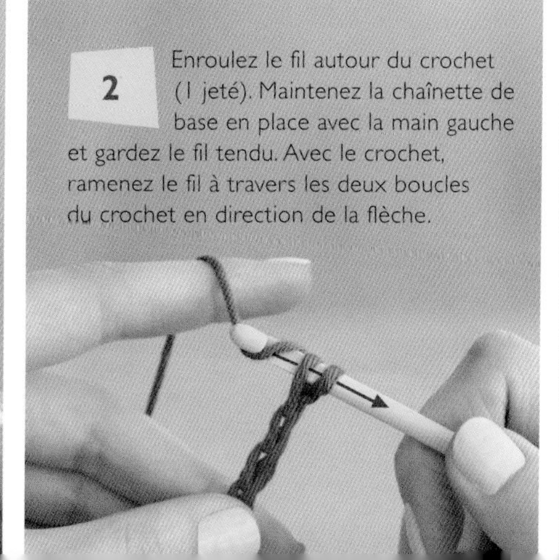

3 Crochetez une maille coulée dans chacune des mailles en l'air de la même manière. Les mailles coulées doivent généralement être assez lâches.

ARRÊTER DES MAILLES EN L'AIR ET DES MAILLES COULÉES

À la fin d'un ouvrage, on « arrête » les mailles. Comme il n'y a qu'une boucle sur le crochet, c'est très simple. Voici un pense-bête visuel pour arrêter une chaînette de mailles en l'air ou un rang de mailles coulées.

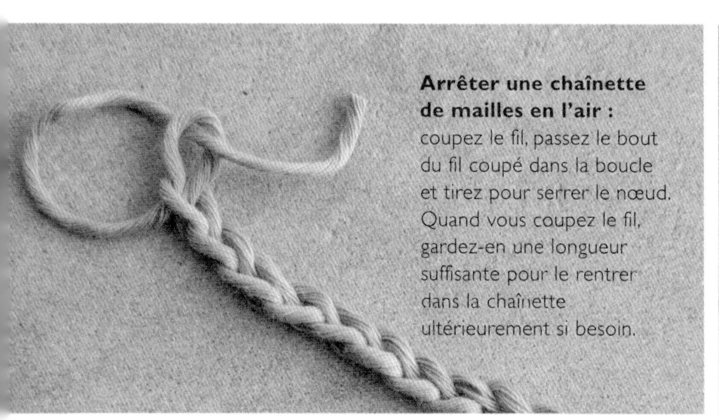

Arrêter une chaînette de mailles en l'air : coupez le fil, passez le bout du fil coupé dans la boucle et tirez pour serrer le nœud. Quand vous coupez le fil, gardez-en une longueur suffisante pour le rentrer dans la chaînette ultérieurement si besoin.

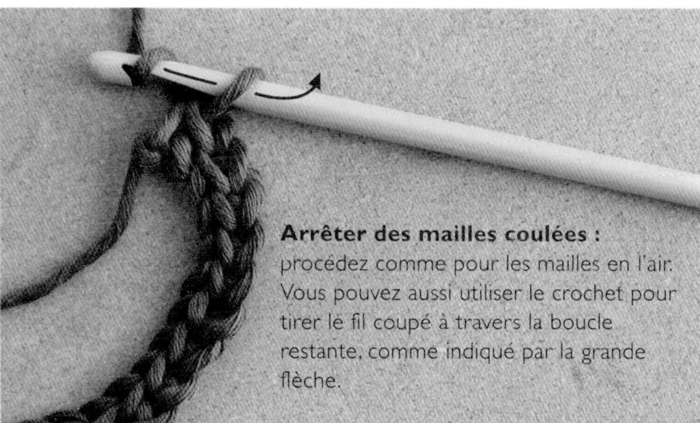

Arrêter des mailles coulées : procédez comme pour les mailles en l'air. Vous pouvez aussi utiliser le crochet pour tirer le fil coupé à travers la boucle restante, comme indiqué par la grande flèche.

ÉLÉMENTS DES POINTS

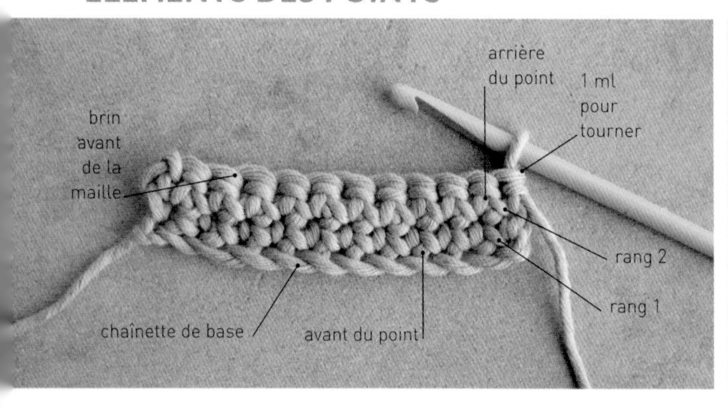

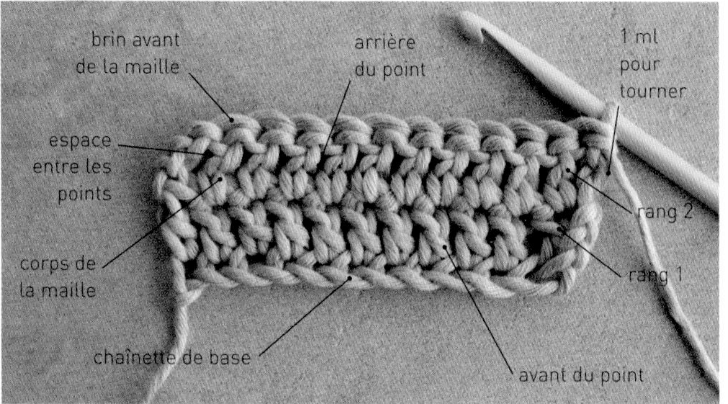

Rangs de mailles serrées : crochetez deux rangs de mailles serrées et arrêtez le fil. Regardez votre échantillon et assurez-vous de reconnaître tous les éléments indiqués ci-dessus. Si votre modèle vous demande de crocheter dans le point du rang précédent, piquez toujours le crochet dans LES DEUX brins de la maille (le brin avant ET le brin arrière qui n'est pas visible sur la photo) au sommet du point, sauf instructions différentes.

Rang de brides : crochetez deux rangs de brides et arrêtez le fil. Assurez-vous là encore que vous reconnaissez tous les éléments des points indiqués ci-dessus. Comme avec tous les autres points de crochet, si votre modèle vous demande de crocheter dans le point du rang précédent, piquez toujours le crochet dans LES DEUX brins de la maille, sauf instructions différentes.

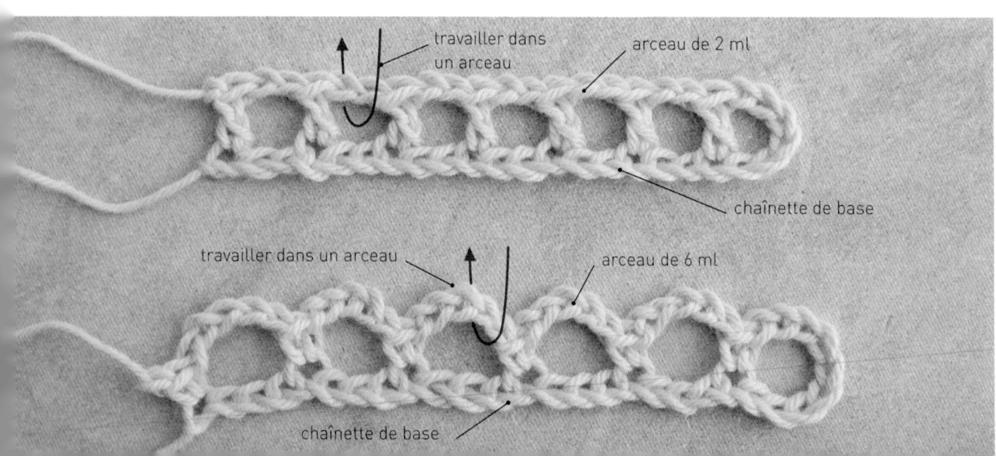

Arceaux : dans de nombreux modèles, on ajoute des mailles en l'air entre les points de base pour créer des jours dans l'ouvrage. Les espaces formés par ces mailles en l'air sont appelés des « arceaux ». Lorsqu'un modèle vous demande de crocheter dans l'arceau, piquez toujours le crochet de l'avant vers l'arrière dans le trou et non dans les brins des mailles.

MAILLE SERRÉE (abréviation : ms)

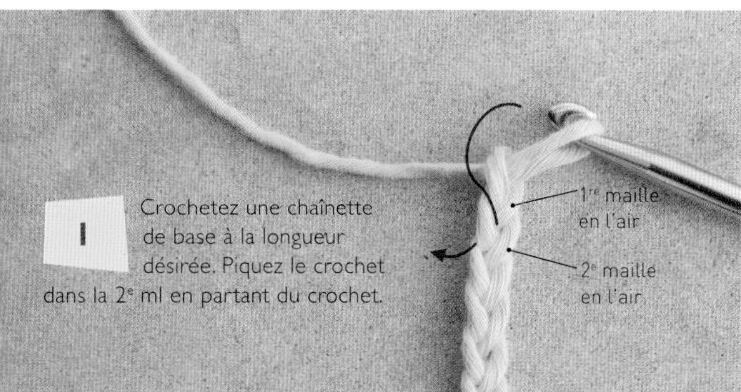

1 Crochetez une chaînette de base à la longueur désirée. Piquez le crochet dans la 2e ml en partant du crochet.

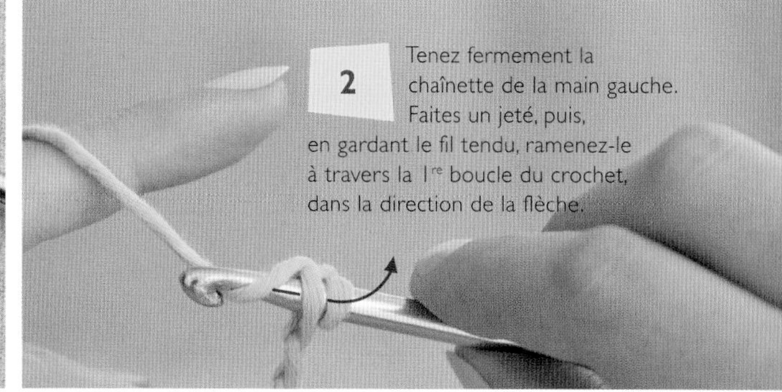

2 Tenez fermement la chaînette de la main gauche. Faites un jeté, puis, en gardant le fil tendu, ramenez-le à travers la 1re boucle du crochet, dans la direction de la flèche.

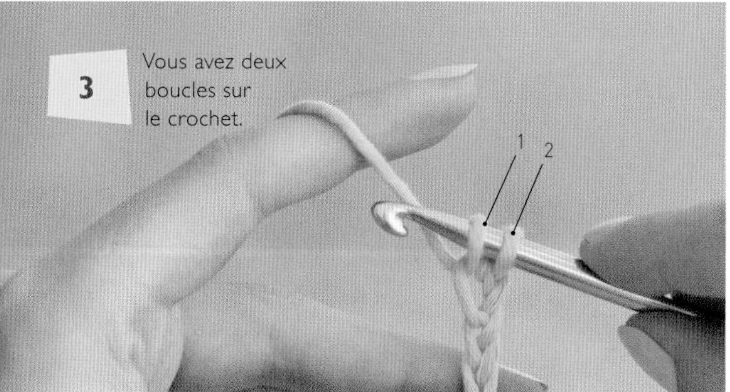

3 Vous avez deux boucles sur le crochet.

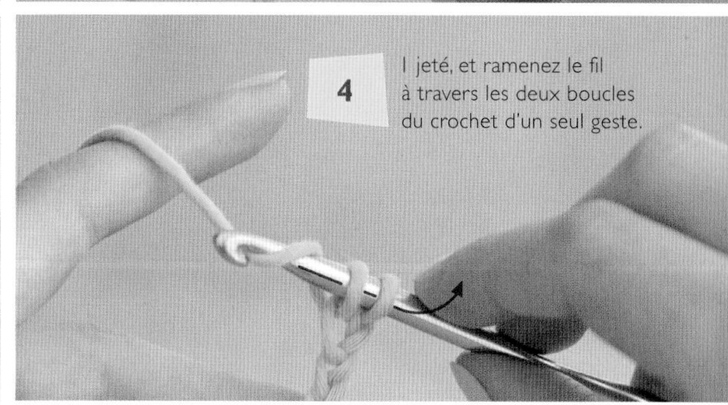

4 1 jeté, et ramenez le fil à travers les deux boucles du crochet d'un seul geste.

DEMI-BRIDE (abréviation : db)

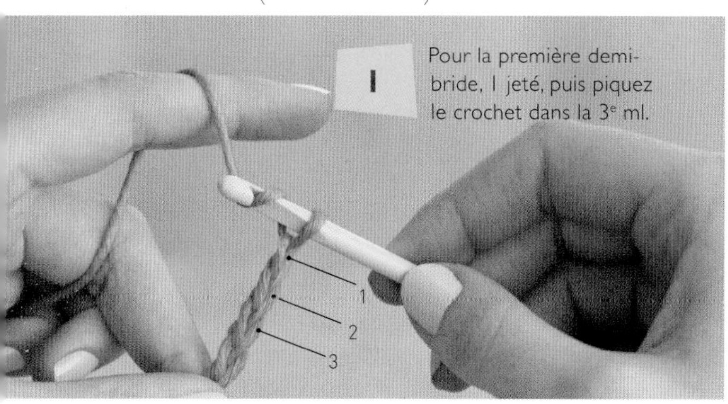

1 Pour la première demi-bride, 1 jeté, puis piquez le crochet dans la 3e ml.

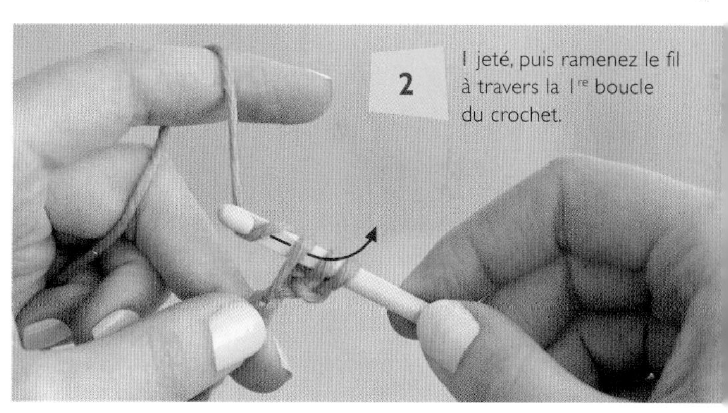

2 1 jeté, puis ramenez le fil à travers la 1re boucle du crochet.

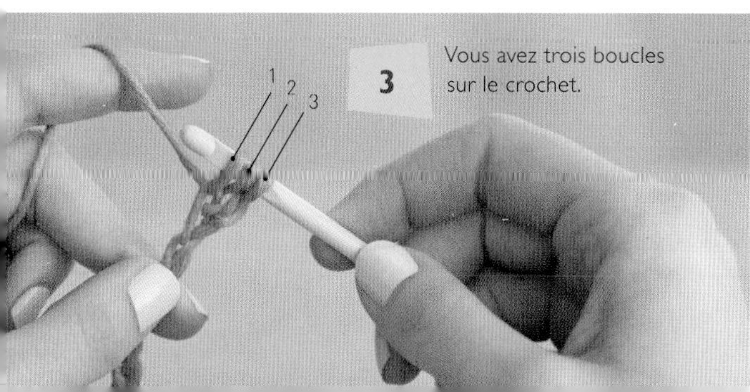

3 Vous avez trois boucles sur le crochet.

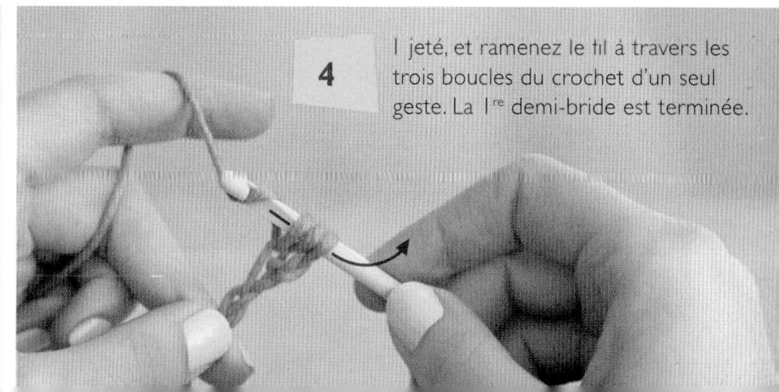

4 1 jeté, et ramenez le fil à travers les trois boucles du crochet d'un seul geste. La 1re demi-bride est terminée.

BRIDE (abréviation : br)

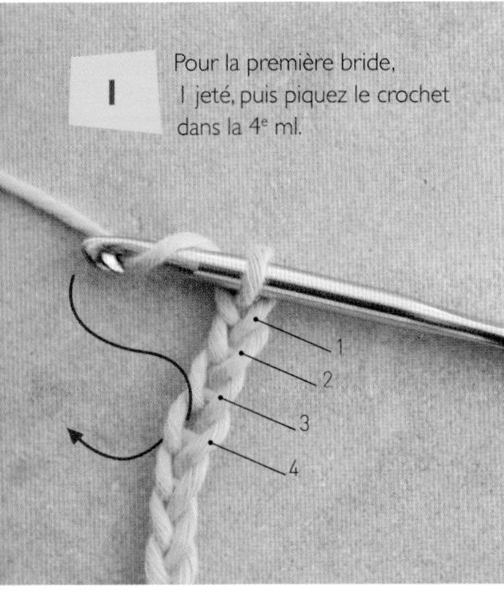

1 Pour la première bride, 1 jeté, puis piquez le crochet dans la 4e ml.

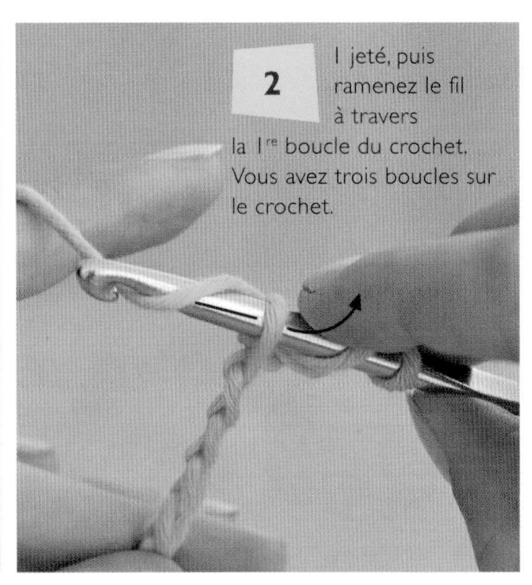

2 1 jeté, puis ramenez le fil à travers la 1re boucle du crochet. Vous avez trois boucles sur le crochet.

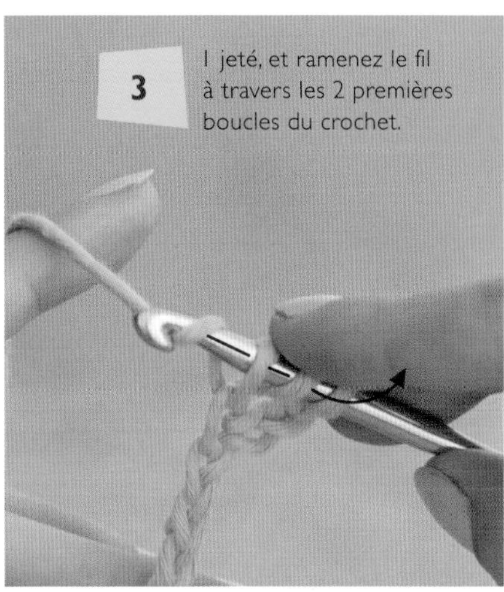

3 1 jeté, et ramenez le fil à travers les 2 premières boucles du crochet.

4 Il vous reste deux boucles sur le crochet. 1 jeté, et ramenez le fil à travers les deux boucles du crochet.

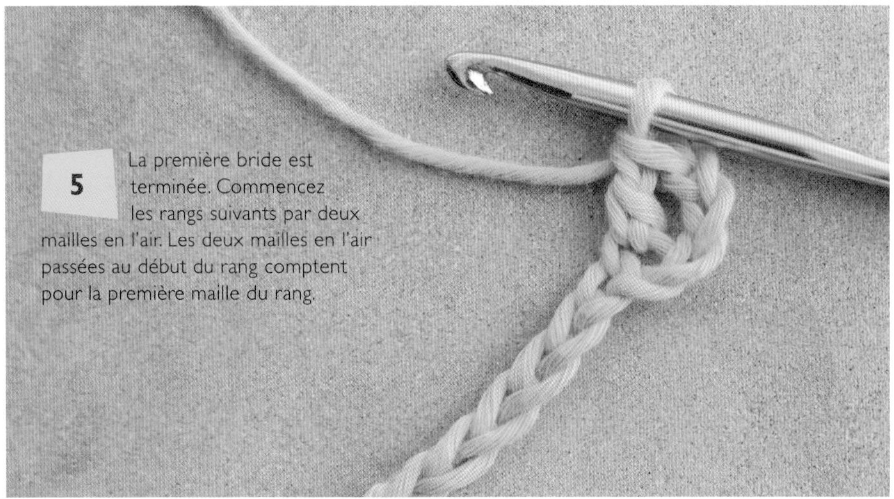

5 La première bride est terminée. Commencez les rangs suivants par deux mailles en l'air. Les deux mailles en l'air passées au début du rang comptent pour la première maille du rang.

DEUX MAILLES SERRÉES ÉCOULÉES ENSEMBLE (abréviation : 2 ms ens)

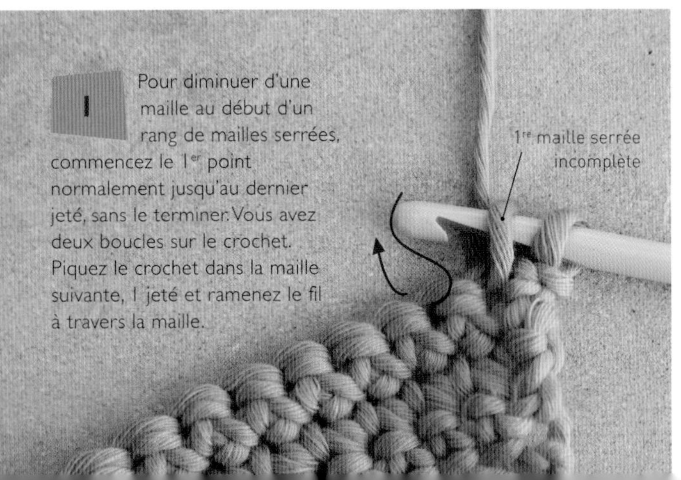

1 Pour diminuer d'une maille au début d'un rang de mailles serrées, commencez le 1er point normalement jusqu'au dernier jeté, sans le terminer. Vous avez deux boucles sur le crochet. Piquez le crochet dans la maille suivante, 1 jeté et ramenez le fil à travers la maille.

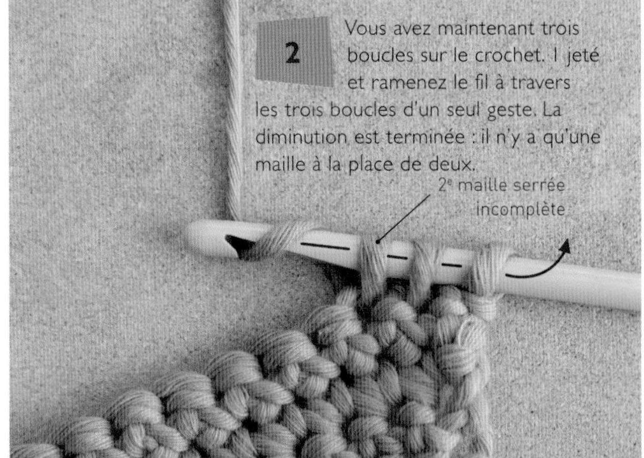

2 Vous avez maintenant trois boucles sur le crochet. 1 jeté et ramenez le fil à travers les trois boucles d'un seul geste. La diminution est terminée : il n'y a qu'une maille à la place de deux.

DEUX DEMI-BRIDES ÉCOULÉES ENSEMBLE (abréviation : 2 db ens)

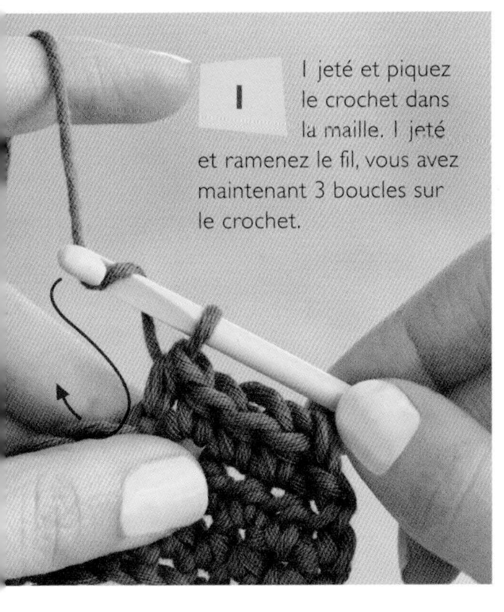

1 1 jeté et piquez le crochet dans la maille. 1 jeté et ramenez le fil, vous avez maintenant 3 boucles sur le crochet.

2 1 jeté et piquez dans la maille suivante. 1 jeté et ramenez le fil, vous avez maintenant 5 boucles sur le crochet.

3 1 jeté et ramenez le fil à travers les 5 boucles d'un seul geste pour terminer la diminution.

CERCLES ET ANNEAUX

FERMER UNE CHAÎNETTE

On utilise une maille coulée pour fermer un anneau de mailles en l'air et travailler en rond. Montez le nombre de mailles en l'air requis, puis piquez le crochet dans la 1re maille en l'air. 1 jeté, puis ramenez le fil à travers les deux boucles du crochet.

ANNEAU MAGIQUE RÉGLABLE

1 Un moyen simple de démarrer un ouvrage plat crocheté en rond est l'anneau magique, qui permet de régler la taille du trou central. Formez une boucle et ramenez le fil à travers cette boucle avec le crochet.

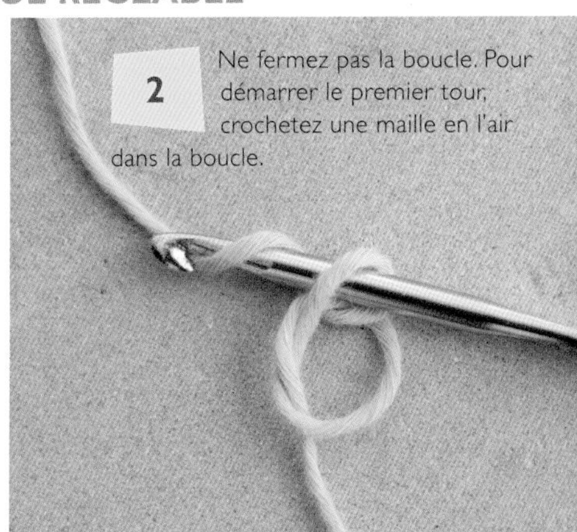

2 Ne fermez pas la boucle. Pour démarrer le premier tour, crochetez une maille en l'air dans la boucle.

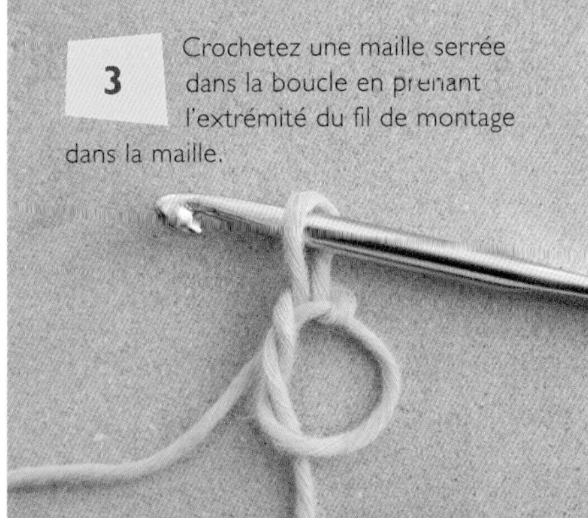

3 Crochetez une maille serrée dans la boucle en prenant l'extrémité du fil de montage dans la maille.

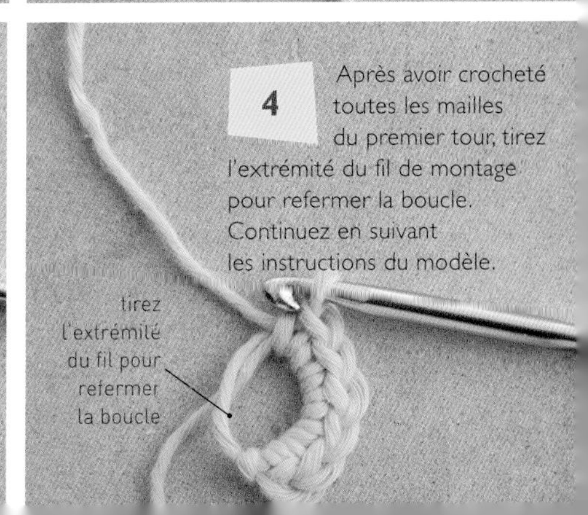

4 Après avoir crocheté toutes les mailles du premier tour, tirez l'extrémité du fil de montage pour refermer la boucle. Continuez en suivant les instructions du modèle.

CROCHET EN ROND À PLAT

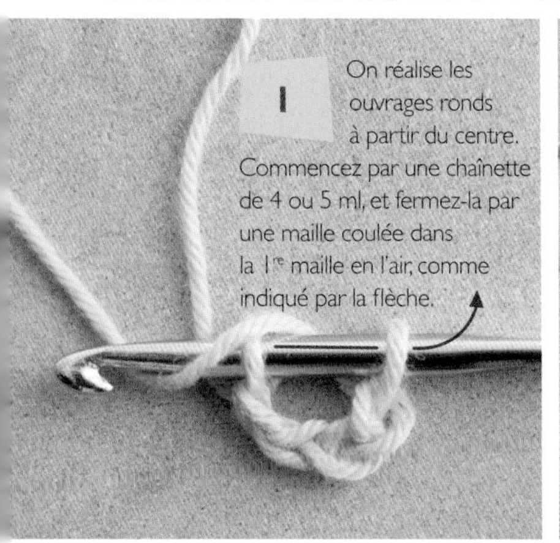

1 On réalise les ouvrages ronds à partir du centre. Commencez par une chaînette de 4 ou 5 ml, et fermez-la par une maille coulée dans la 1re maille en l'air, comme indiqué par la flèche.

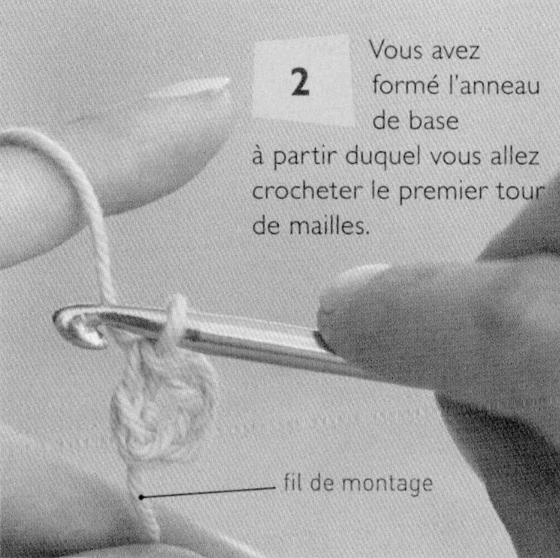

2 Vous avez formé l'anneau de base à partir duquel vous allez crocheter le premier tour de mailles.

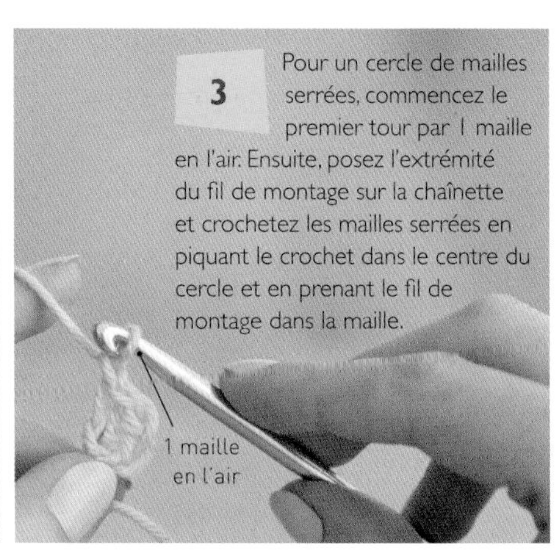

3 Pour un cercle de mailles serrées, commencez le premier tour par 1 maille en l'air. Ensuite, posez l'extrémité du fil de montage sur la chaînette et crochetez les mailles serrées en piquant le crochet dans le centre du cercle et en prenant le fil de montage dans la maille.

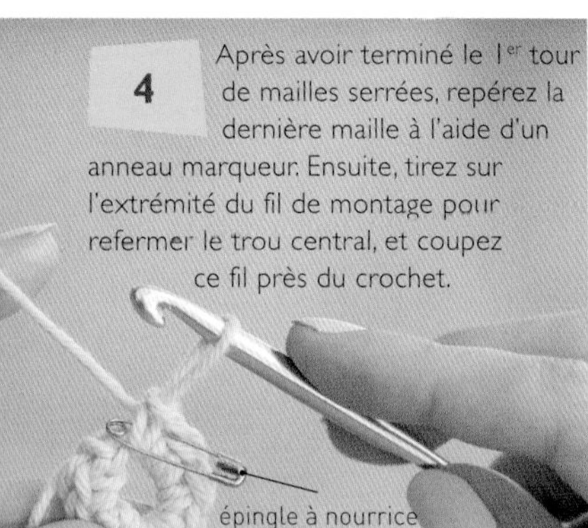

4 Après avoir terminé le 1er tour de mailles serrées, repérez la dernière maille à l'aide d'un anneau marqueur. Ensuite, tirez sur l'extrémité du fil de montage pour refermer le trou central, et coupez ce fil près du crochet.

5 Crochetez 2 ms dans chaque ms du tour précédent, en réalisant les 2 dernières ms au-dessus de la maille portant l'anneau marqueur. Ensuite, comptez vos mailles. Continuez à suivre le modèle jusqu'à ce que l'ouvrage fasse la taille requise.

NOPES

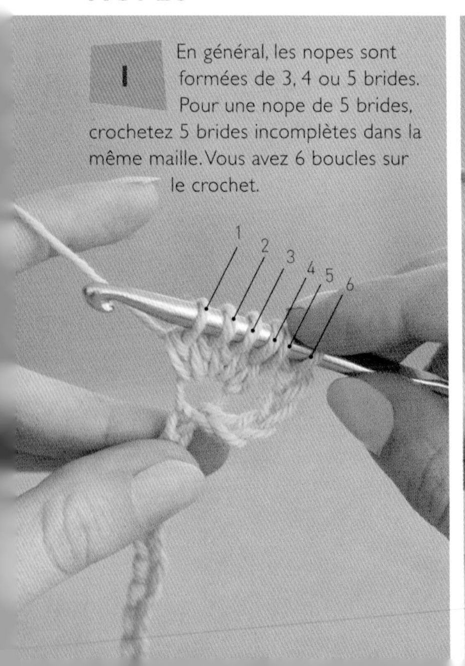

1 En général, les nopes sont formées de 3, 4 ou 5 brides. Pour une nope de 5 brides, crochetez 5 brides incomplètes dans la même maille. Vous avez 6 boucles sur le crochet.

2 1 jeté, puis ramenez le fil à travers toutes les boucles d'un seul geste.

3 Toutes les brides sont terminées d'un seul coup et réunies au sommet. Parfois, on complète la nope par une maille en l'air, comme indiqué par la flèche. On peut aussi crocheter ce point à base de demi-brides : on parle alors de point soufflé.

CROCHETER DANS LE BRIN ARRIÈRE

Effet relief : en piquant le crochet seulement sous le brin arrière des mailles serrées de chaque rang, on obtient un relief marqué. Les barres sont formées par les brins avant.

CROCHETER DANS LE BRIN AVANT

Effet lisse : en piquant le crochet seulement sous le brin avant des mailles serrées du rang précédent, on obtient une texture moins prononcée qu'en piquant seulement dans le brin arrière.

CROCHETER DANS LES ESPACES ENTRE LES MAILLES

Espace entre deux brides : une autre manière d'obtenir une texture légèrement différente à l'aide des points de base consiste à crocheter chaque point dans l'espace entre deux mailles du rang précédent, au lieu de piquer dans le sommet des mailles.

CROCHETER DANS UN ARCEAU

Texture simple : le point granité est l'un des plus simples à réaliser en crochetant dans un arceau. Ici, on crochète des mailles serrées dans les arceaux d'une maille en l'air qui séparent les points du rang précédent.

BORDURE EN MAILLES SERRÉES

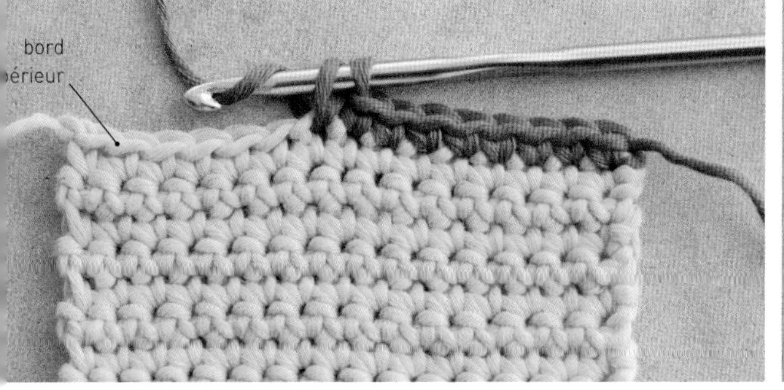

Bordure du haut ou du bas : attachez le fil à la première maille du rang par une maille coulée, crochetez 1 ml, 1 ms dans la même maille que la mc, puis 1 ms dans chacune des mailles du rang pour former la bordure.

Bordure latérale : on travaille de la même manière, mais il est moins facile d'obtenir un résultat régulier. Essayez de trouver combien de mailles vous devez crocheter. Si la bordure gondole, essayez en crochetant moins de mailles. Si elle est plissée, ajoutez des mailles.

FINITIONS ET COUTURES

QUAND VOUS AVEZ TERMINÉ le tricot ou le crochet, il vous reste à rentrer les fils, faire les coutures et mettre l'ouvrage en forme. Voici un petit récapitulatif des techniques courantes. N'oubliez pas de lire l'étiquette de votre laine avant la mise en forme.

MISE EN FORME À L'EAU

Si votre fil supporte le lavage, c'est la meilleure méthode pour mettre votre tricot en forme. Lavez l'ouvrage ou mouillez-le simplement à l'eau tiède. Pressez-le sans le tordre et posez-le à plat sur une serviette, puis enroulez la serviette pour extraire encore une partie de l'humidité. Épinglez votre ouvrage à plat sur plusieurs serviettes sèches recouvertes d'un tissu. Laissez sécher, puis retirez les épingles.

MISE EN FORME À LA VAPEUR

N'utilisez cette méthode que si votre fil supporte la vapeur. Épinglez l'ouvrage en lui donnant la forme prévue, puis placez un tissu propre humide (pattemouille) dessus. Utilisez un fer chaud pour créer de la vapeur en touchant à peine la pattemouille. Ne posez pas le fer sur l'ouvrage. Évitez les zones de point mousse et de côtes. Laissez l'ouvrage sécher complètement avant de retirer les épingles.

RENTRER UN FIL

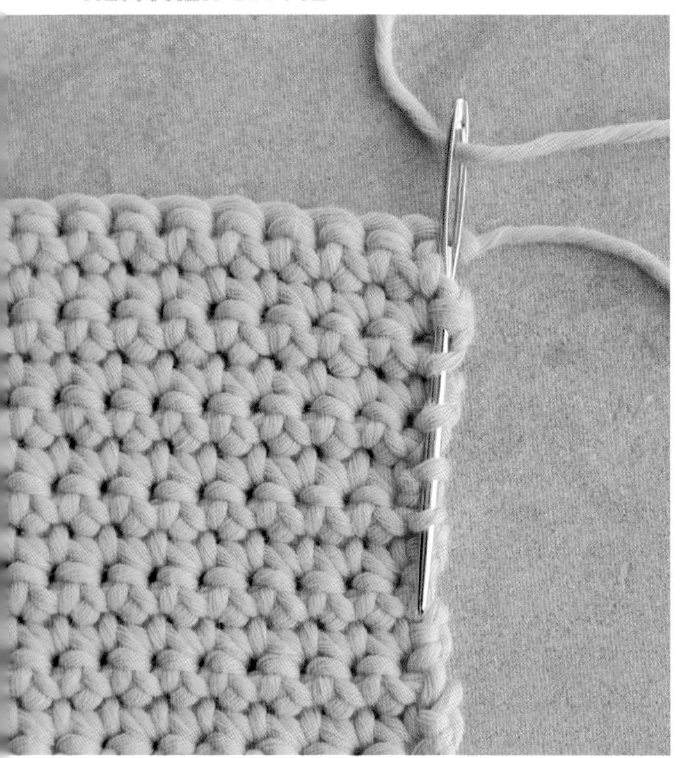

L'ouvrage juste terminé comportera au moins deux fils à rentrer : un au début, l'autre à la fin. Enfilez chaque fil sur une aiguille à bout rond et rentrez-le horizontalement ou verticalement dans les points sur l'envers de l'ouvrage.

COUTURE BORD À BORD

Ce point convient à la plupart des ouvrages. Pour commencer, alignez les deux pièces à coudre, envers face à vous. Assemblez-les en passant le fil dans les petites bosses le long des bords, comme indiqué sur l'illustration.

POINT DE MATELAS (COUTURE INVISIBLE)

1 **Le point de matelas** est pratiquement invisible et constitue la meilleure technique d'assemblage pour les ouvrages en côtes et en jersey. Commencez par aligner les deux pièces à coudre, endroit face à vous.

2 **Piquez l'aiguille** par l'avant au centre du premier point tricoté d'une des pièces, en ressortant au centre d'un point deux rangs plus haut. Répétez de l'autre côté, et continuez à monter en tirant régulièrement le fil pour rapprocher les bords.

POINT ARRIÈRE

Alignez les pièces endroit contre endroit. Faites un point droit vers l'avant, puis un point vers l'arrière en piquant à la sortie du point précédent, comme indiqué sur l'illustration. Cousez aussi près du bord de l'ouvrage que possible. Le point arrière peut être utilisé sur pratiquement tous les tricots, mais il n'est pas adapté aux ouvrages très épais.

POINT DE SURJET

En tenant les deux pièces endroit contre endroit, piquez l'aiguille d'arrière en avant à travers les deux épaisseurs, en passant dans le centre des mailles des bords. Répétez tous les points de la même manière. Ce point est similaire au point de surfil.

BOUTONS-PRESSION

1 Faites un nœud et fixez le fil dans l'ouvrage en prenant seulement la moitié des mailles pour qu'il ne se voie pas sur l'endroit. Centrez le bouton-pression et piquez l'aiguille dans le tricot [sans traverser toute l'épaisseur] juste à côté d'un des trous, puis ressortez-la par le trou du bouton-pression.

2 Répétez le même geste trois ou quatre fois à travers chaque trou, sans jamais ressortir l'aiguille sur l'endroit de l'ouvrage. Passez d'un trou à l'autre et recommencez. Pour arrêter le fil, faites deux petits points arrière, puis une boucle, repassez l'aiguille dans cette boucle et serrez bien.

La partie mâle du bouton-pression, celle qui a une petite tige, se place sur l'envers de la pièce extérieure de l'ouvrage. Pour positionner les boutons-pression, les mesures risquent d'être imprécises : comptez exactement le nombre de mailles et de rangs à partir du bord pour chaque pièce, et repérez l'emplacement à l'aide d'un fil de couleur contrastée.

INDEX

REMERCIEMENTS

DK souhaite remercier les personnes et sociétés suivantes pour leur précieuse participation, leur temps et leur engagement :

Auteurs des modèles Caroline Birkett, Ruth Bridgeman, Ali Campbell, Susie Johns, Glenda Fisher, Fiona Goble, Zoe Halstead, Claire Montgomerie & Liz Ward

Consultante technique Susie Johns
Correctrice des modèles Carol Ibbetson
Relectrice Angela Baynham
Assistante de photographie Julie Stewart
Assistance éditoriale Anne Hildyard & Toby Mann
Location de la maison Sarah Mann
Accessoires Backgrounds Prop Hire

Agence de mannequins NEVS
Mannequins Karolina Conchet ; Custard le chat ; Esme, Kit & Ted Daley ; Teagan Dudley ; Sarah Edwards ; Colum Ewart ; Tyro Heath ; Chris Kelleher ; Tilly Lee ; Dani & Stewart Payne ; Maria Thompson ; Oliver Twelftret & Walter le chien